ちくま新書

世界哲学のすすめ

納富信留
Notomi Noburu

1769

世界哲学のすすめ【目次】

I　世界哲学に向けて　011

第1章　生きた世界哲学　013

1　世界哲学への誘い　013

「世界哲学」を論じること／哲学のローカル性と世界性／「哲学」の範囲をめぐって／哲学ではなく宗教？／程度が低い思想？／批判性の欠如？／「西洋哲学以外に哲学なし」という矛盾／哲学の視野拡大／『世界哲学史』の試み／種々の試みの挫折／世界哲学を日本で行う意義／本書が目指すところ

2　世界哲学とは何か　038

世界哲学——その定義／世界哲学の主体と対象／比較哲学という枠組み／哲学史という枠組み／世界哲学を生きる

第2章　世界を生きる哲学　051

1　暦　051

世界を時間と空間から捉える／自然の暦法／キリスト紀元の西暦／仏教の時間把握／円環的な時

間把握／暦の間の換算／日本への西暦の導入／世界哲学の時間

2　地図　069

世界地図を見る／さまざまな地図／地図を作る理由／世界の地図

3　世界という眺望　078

今、ここの限定を超えて／現世の同時性／人新世という時代／人類と地球の未来

第3章　世界哲学を語る言語　087

1　翻訳のディレンマ　087

世界の多言語性／国際学会で使う言語／哲学における翻訳の困難／哲学する言語／世界哲学の言語のディレンマ

2　三世界のリングワ・フランカ　101

哲学のリングワ・フランカ／ギリシア語からラテン語へ／サンスクリット語とパーリ語のコスモポリス／漢文という共通文語

3　翻訳としての哲学　112

翻訳可能性再考／翻訳という思考作業／翻訳の哲学／ＡＩ自動翻訳の可能性／日本語への哲学の

翻訳

第4章 哲学の普遍性 127

1 哲学のディレンマ 127

哲学の普遍性という問題／「哲学」のディレンマ

2 普遍性とは何か 132

「普遍」の語義／アリストテレスの「普遍」定義／第一哲学の普遍性

3 科学の普遍性 142

自然科学との対比／斉一的世界観／普遍化可能性／科学と哲学の間／進化を踏まえた知性／普遍的倫理を求める進化

II 世界哲学の諸相 155

第5章 哲学を揺るがすアフリカ哲学 157

1 排除されたアフリカからの視点 157

アフリカの哲学?／西洋古典哲学における不在／「アフリカ」とは何か?／失われたアフリカ／「アフリカの哲学／アフリカ的哲学」の諸相／アフリカ哲学の意義
2 ウブントゥの哲学 166
あえて「アフリカ哲学」を名乗る／理性をめぐる闘争／「ウブントゥ」という言葉／ウブントゥ哲学の広がり
第6章 世界哲学としての現代分析哲学 177
1 哲学動向としての分析哲学 177
二〇世紀の代表的哲学／分析哲学と古代ギリシア哲学
2 分析哲学というスタイル 184
歴史文化のスタイル／発表形式のスタイル／論文スタイル／哲学動向としての特徴／ゲティア問題／プラトンの知識論
3 日本における革新的動向 195
分析哲学と日本、日本語／大森荘蔵による分析哲学の導入／黒田亘の分析哲学／ギリシア哲学と分析哲学の交わり／黒田亘と井上忠の議論／アリストテレス解釈の刷新

4 分析哲学という未来 207
分析哲学の隘路／未来を志向する

第7章 東アジア哲学への視座 211

1 「東洋哲学」の試みと挫折 211
『世界哲学史』の不均衡／「西洋哲学／東洋哲学」の対比／井筒俊彦の「東洋」理念／「東洋／西洋」の対比を超えて

2 東アジア哲学史の構築 222
東アジアの言語共同体／東アジア哲学史という視野／東アジア哲学史の枠組み／東アジア哲学史の意義

3 日本哲学の位置づけ 233
「中国思想」か「中国哲学」か／「日本哲学」という呼称／東アジア哲学史の中の日本哲学

第8章 世界哲学をつくる邂逅と対決 243

1 インドとギリシアの出会い 243
邂逅と対決／枢軸としてのギリシアとインド／異なる伝統の交流／ギリシア人が得たインド情報／ソクラテスとインド哲学者の対話？／アレクサンドロス大王と哲学者たち／大王とインド哲学者との対話／オネシクリトスと裸の哲学者たち／マンダニスの哲学
2 ミリンダ王の問い 260
奇妙な外典／インド対ギリシア／『ミリンダ王の問い』の原型／メナンドロス一世とその哲学的背景／二人の対話の性格／魂の実在の否定／新奇な言葉遣いの意図／ギリシア哲学の前提を揺るがす
3 二〇世紀日本の関心 280
『ミリンダ王の問い』への注目／日本での紹介／欧米での紹介状況／和辻哲郎のギリシア体験／日本に到達したギリシア？／西洋哲学と日本哲学の分岐点
Ⅲ 世界哲学の構想 289
第9章 ギリシア哲学という基盤 291
1 古代ギリシアの見直し 291

起源としてのギリシア哲学／古代ギリシア哲学の継承／言論の自由／話し言葉と書き言葉

2　フィロソフィアーの特殊性　298

古代ギリシア哲学の豊かさと可能性／観想と実践／観想に基づく哲学／統一的な総合知／アゴーンの精神／問答と哲学論争／争いを通じた批判／反対と媒介／神と人間／類比の思考／宇宙と人間の類比／人間のモデルを提示する／中国哲学が提示する「人間」

3　ギリシア哲学を超える普遍性　322

ギリシア哲学との対決／三つの戦略とその限界／哲学の普遍性を求めて

終章　対話と挑戦としての世界哲学　329

対話と哲学／対話のぶつかり合い／世界哲学を語る暴力？／反哲学からの哲学

あとがき　339

人名索引　i

Ⅰ 世界哲学に向けて

第1章 生きた世界哲学

1 世界哲学への誘い

†「世界哲学」を論じること

「世界哲学」という名前を聞いたことがありますか。

哲学は、人生や価値や思考や世界について考える営みです。「私とは何者か。どのように生きるべきか。宇宙がこうなっているのはなぜか」。こういったさまざまな問いについて考え、真理を求めていくのが哲学です。その「哲学」に「世界」という語をつけて論じる新しい試みを、本書では広い視野から見ていきます。一言で言うと、私たちが真に哲学を行うこと、それを実現する一つの方法、それが「世界哲学」です。本書では、その試みに皆さんを誘いたいと思います。

はじめに、二つの点をお断りしておきます。

第一に、ここでプランを示す「世界哲学」は、一人の人間が取り組むには大き過ぎる、あまりに野心的なものです。「世界哲学」は多くの人が参加し協力して一緒に描く地図であり、その地図をつかって生活したり旅したりする共同の探求に他なりません。私はこれからさまざまなアイデアを提示し、今後世界哲学をどう展開していくかを探っていくつもりです。その限りで、本書は着想に留まる、ささやかな「世界哲学のすすめ」に過ぎません。

第二に、私は長年、古代ギリシア哲学を研究のフィールドにしてきましたが、それには利点と欠点があります。世界哲学の「哲学」としての可能性を探るには、第9章で論じるように、まさに古代ギリシアで「哲学（フィロソフィアー）」がどう始まったのか、あるいはそこで成立した「哲学」とは何だったのか、を再検討する必要があります。その意味でこの仕事は、西洋古代哲学を専門とし、哲学の始まりを研究テーマとしてきた私にふさわしいと感じます。他方で、他の哲学伝統について私の知見はきわめて限定的です。議論には不十分な面や偏りが多々あるでしょうが、その点はご理解いただければ幸いです。

†哲学のローカル性と世界性

哲学は、時代や社会や文化に応じてさまざまに展開してきました。具体的には、「古代ギリシア哲学、ルネサンス哲学、中国哲学、ロシア哲学、現代フランス哲学、近代日本哲学」などと呼ばれる区分があり、それぞれが専門分野として研究されています。それらを仮に「ローカルな哲学」と呼ぶとすると、哲学がローカルであることにはなにか違和感が残ります。それは、なぜでしょうか。

哲学がローカルに行われることは、時空の制約として当然のことで、具体的には特定の時代背景、つまり文化や宗教や政治、そして何よりも言語の制約を受けています。古代ギリシアの哲学は古典ギリシア語とラテン語で、近代フランスの哲学はラテン語とフランス語でというように、特定の言語で議論され著述されました。しかし、哲学が人間に普遍的な知の営みであるとしたら、地域主義（リージョナリズム）や国家主義（ナショナリズム）には馴染まないように感じられます。

では、いっそのこと「哲学」とだけ銘打って、純粋に問いに挑めばよいのではないでしょうか。実は、そう簡単にはいかない事情があります。それは歴史を振りかえると明らかになります。「まさにこれが哲学だ」と自称する営みはこれまでいくつもありましたが、それらは結局は特定の時代や伝統に基づくものの見方、つまりローカルに過ぎませんでした。それを絶対に真正な哲学とすることは、かえって哲学そのものの遂行を妨げてしまうことにもなりかねません。

西洋哲学からいくつか例を見ましょう。まず、デカルト（一五九六～一六五〇）が一七世紀前半に「コギト（我思う）」を絶対的な起点とする哲学を打ち立てた時、それがその時代のフランスやオランダだけにしか通用しない議論だとも、ラテン語とフランス語でしか理解できない議論だとも考えていませんでした。また、一八世紀末にカント（一七二四～一八〇四）が理性批判を行い、感性と理性と悟性の仕組みを超越論的に解明した時、それは理性を備えるすべての人間に普遍的に当てはまることを微塵も疑っていませんでした。

しかし、そこで合理的な判断や普遍的な倫理とされたものが、はたしてあらゆる時代と文化にわたり、また人種や民族や宗教を超えてあらゆる人間に必ず当てはまると言えるのかというと、その点は検討が必要でしょう。デカルトが打ち立てた「思惟する心」と「延長する物体・身体」という二元論は、どんな哲学者にも認められるわけではありませんし、カントによる感性と悟性の区別も、すべての同意が得られるものではありませんでした。そこで「理性を備える人間」が誰を指すのかも、重要な問題となります（この点は第5章で論じます）。西洋近代哲学を代表するこれらの思想は、どれほど大きな影響を与えたものであれ、無条件に「まさにこれが哲学だ」とは言い切れない、時代と思考の制約を受けていました。

また、本書第6章で論じる現代英米圏の「分析哲学」が二〇世紀後半に振るった影響もそのようなものでした。哲学とは論理的に概念を分析する、非歴史的で普遍的な知の営みであり、世界中で通用するものだと、分析哲学の従事者は信じていました。彼らは言語による概念分析を進めるにあたり、それが英語にだけ適用される歴史的な議論だと考えてはいませんでした。しかし、分析哲学にも独自の複雑な歴史的背景があり、そこで論じられるテーマや手法も、重要ではあるが一つの哲学のやり方に過ぎないと、現在では再認識されています。そもそも英語による分析が日本語や他の言語に当てはまるかは、要検討事項なのです。つまり、「分析哲学がまさに哲学である」という一昔前の認識は、明らかに誤っていたのです。

では、哲学はどこに存在しているのでしょうか。

†「哲学」の範囲をめぐって

この問いは、いわゆる「西洋哲学」の外部でより深刻な問題となります。「西洋哲学」とは、古代ギリシアで起こった哲学が中世キリスト教世界を経て、近代に科学革命を産み出し、西ヨーロッパと北アメリカで展開された伝統です。宗教でいえばキリスト教、その中でもカトリックとプロテスタントであり、ビザンツやロシアで広まった正教会（オーソドクス）は通常は含まれません。その意味では「西洋」というより「西欧」が正確な言い方かもしれません。

そこから外れるのは、古代ではギリシア以前のエジプトやメソポタミアの文明、ギリシア哲学と同時期に発展したインドや中国の哲学伝統です。また、ユダヤ教やイスラーム教も独自の伝統を作りました。アフリカ、日本や朝鮮を含む東アジア、東南アジア、オセアニア、アメリカの原住民文化も「西洋哲学」の外部に属します。キリスト教の正教会に属するロシアや東ヨーロッパ、ジョージアやアルメニアなども西洋哲学から除外される傾向にあります。「哲学（フィロソフィー）」という言葉は「西洋」と呼ばれる西ヨーロッパと北アメリカでの知的営みを指すものだったのです。

まさにこの語法をめぐり、日本で重大な問題が生じました。明治期に西洋から「フィロソフィー」を導入した日本では、その翻訳語である「哲学」という言葉が特権的に「西洋哲学」を指すとの見方が根強く、それ以外は「哲学」から排除されて「思想」などと呼ばれる傾向があります。そのため、幕末以前に一〇〇〇年以上つづいた日本の知的営みをどう捉えるかが問題となっているのです（この点は第7章で論じます）。

西洋哲学を導入した近代より以前に「日本哲学があった」ことを認めない人は、おそらくアフリカにもインドにも中国にもゲルマンにもユダヤにも「哲学はなかった」と言うでしょう。そういった議論で多くの伝統を「哲学」から排除する時の論拠は、主に三つあります。第一に、それら非西洋の思考は「宗教」であって「哲学」ではないという見方、第二に、それらは「哲学」とは呼ぶには不十分な、程度が低い「思想」に過ぎないという見方、第三に、それらは「哲学」の必須条件である批判性や合理性が欠如しているという見方です。それぞれの論拠を検討しましょう。

†哲学ではなく宗教？

第一の論拠は、とりわけ明治以前の日本に向けられます。西洋で発展した「哲学（フィロソフィー）」がまだ存在しない中で、仏教や儒教や神道などの教義にそって行われた思索や議論は、「宗教」と呼ぶべきであって哲学ではない、という見方です。

これは一見もっともに聞こえるかもしれませんが、二つの点で誤解があるようです。

第一に、西洋哲学もギリシアの多神教やキリスト教などの宗教から、つねに明瞭に区別されてきた訳ではありません。プラトン（前四二七～前三四七）やアリストテレス（前三八四～前三二二）らギリシア哲学者は「神」を論じましたが、それはゼウスを主神とするギリシアの宗教と別物ではありませんでした。むしろその正しい再解釈を目指していたと言えます。

キリスト教との関係も同様です。中世のスコラ哲学は言うまでもなく、デカルトでもスピノザ（一六三二～一六七七）でもカントでも二〇世紀の哲学者たちでも、けっして神や宗教を排除して哲学をしてはいません。哲学の中核にはつねに神と超越の問題があり、信仰や啓示や修行という点で何らかの重点の違いがあるとしても、本来哲学は宗教から切り離せないのです。この点でイスラームは無論のこと、日本や中国やインドの伝統は、西洋哲学の状況と根本的に異なるとは言えないでしょう。

第二に、「宗教（レリジョン）」という語がきわめて西洋的な概念です。これはキリスト教とユダヤ教、その後継者であるイスラーム教まで当てはまるにしても、それ以外には適用しにくい特殊な概念なのです。「宗教」には、神（一神教）と教祖（あるいは神の子、預言者）がいて、聖典としての経典が定められ、教会組織があるとされます。その中で正統と異端の教説が定められて成立しているものです。

しかし、この基準を他の文化に当てはめるには無理があります。厳密には、仏教や儒教や道教や神道は「宗教」という条件をみたさず、そもそも「宗教」と呼べない習俗に過ぎないことになってしまいます。日本では長く、仏教と神道や修験道などの土着信仰、さらに儒教や道教などの要素が混じり合って社会に定着してきました。それらは西洋的な定義では「宗教」と呼ぶことすらできません。何より、神などの絶対的存在者を認めない仏教は「宗教」と呼ぶにはあまりに異様な考えだったのです。

ラテン語に由来する「レリジョン」は、複雑な経緯を辿った言葉です。「新世界」つま

して探究する方法だとすると、その条件を満たさないものは非合理的、あるいは非科学的であって「哲学」とは呼べない、ということになるのです。

古代ギリシアで「フィロソフィアー」と呼ばれる営みが始まるにあたっては、確かに特定の問題、例えば「宇宙の根源（アルケー）とは何か」とか「どのような生き方が幸福か」といった問いがあり、それに対して異なる回答を提示しつつ、互いに厳しく批判しながら理論を発展させた経緯があります。西洋哲学ではそのような「ギリシア的経験」がモデルとなってきましたが、第9章で考察するように、そういった特徴は歴史と文化において形作られた特殊なもので、そのまま哲学一般の基準にすることはできないはずです。

例えば、自由な言論のやりとりは、王や皇帝といった絶対権力者のいない小規模のポリス社会において、民主政や「言論の自由（パレーシアー）」を重んじる文化背景において展開されたものです。同じ西洋古代哲学でも、ヘレニズム期やローマ期にはそういった雰囲気はすでに変質していました。また、ギリシア哲学の中にも独断的な思弁も見られ、けっして一枚岩として「哲学」を規定できないはずです。

そもそも「合理性」や「論理性」や「批判性」というあり方は、けっして一通りではありません。異なる仕方で合理性を追求したり、異なる枠組みで論理を組み立てたりすることも可能です。まして、批判的であるとは、けっして公的な場でオープンに議論することには限られないでしょう。

こうした事情を考慮すると、批判的な対話、とりわけ西洋哲学型の議論を哲学の必要条件とするのは狭すぎる見方だと感じます。知者や賢者が自分の考えた世界や人生のあり方を提示して、それを弟子たちが受け継ぐという伝統においても、批判的思考は内在していますし、他学派や後世の人々と対立することで、哲学の議論はすでに遂行されています。したがって、この論拠から西洋哲学以外、つまり、中国や日本やアフリカといった多様な伝統を排除することはできないのです。

†「西洋哲学以外に哲学なし」という矛盾

以上で、古代ギリシア哲学に由来する西洋哲学だけを「哲学」とする見方の論拠を批判的に検討しました。西洋哲学以外は「哲学」という高度で厳密な思考には当たらないとする態度は、偏狭な排除の姿勢に過ぎません。

「西洋哲学以外に哲学はない」という見方は、日本では近代に始まり今日でもまだ根強く残っているようです。しかし、そこにはある種の奇妙さが付きまといます。

一九世紀以来、ヨーロッパや北アメリカの哲学者たちや一般人がこうした極端な考えを自明のものとして抱いていたのは確かでしょうが、その後欧米でもそういった偏向への批判がなされています。西洋中心主義への批判や、ポストコロニアリズム・反植民地主義の議論です。

二〇一六年五月十一日にアメリカの仏教研究者ジェイ・ガーフィールド（一九五五～）と中国哲学研究者ブライアン・ヴァン＝ノーデーン（一九六二～）が『ニューヨークタイムズ』に「哲学は多様化しないのならば、その実相を表す名を付けよ」と題する論考を寄稿しました。アメリカ合衆国にある哲学科が西洋哲学しか教えないのなら、「ヨーロッパ・アメリカ哲学学科」と名前を変えるべきだという主張です。この挑発的な問題提起に対して、アメリカでは、驚くべきことに、「西洋哲学以外に哲学などない」という時代遅れの反発が多数向けられました。*

＊この論争については、ブレット・デービス「日本哲学とは何か――その定義と範囲を再考する試み」『日本哲学史研究』第一六号（京都大学大学院文学研究科日本哲学史研究室、二〇一九年）八～一〇頁参照。

西洋文化の内部にいてその外や他者を知らずに育った学者が「西洋以外に文明はない」と断定する時、無知とそれに発する傲慢さは呆（あき）れを通り越して滑稽にさえ見えます。批判精神と自己知を誇っているはずの西洋哲学が、それらの徳をこれほどまでに欠いているのは嘆かわしい限りだからです。

他方で、もし「西洋哲学以外に哲学はない」と日本人が語ったとしたらどうでしょう。そもそも西洋以外の文化と思想のなかで育ち、その意味や奥深さに通じているはずの人々が、西洋中心主義の無知と盲目をオウム返しにするのは、どういうことでしょう。自己卑下や韜晦でないとしたら、自分は「西洋」に属している、あるいは、その一員になったとでも思い込んでいるのでしょうか。西洋の学者がそもそも井戸の中しか知らないがゆえにそう言うのはまだ理解できるとして、井戸の外にいて大海を知り得る者がその発言を引き受けることは、とても奇妙です。

私は、世界哲学の試みとは、まずこの西洋哲学中心主義、あるいは西洋哲学独占主義をきちんと批判し、その外の豊かで多様な可能性に目を向け、多元的な真理探求の現実化に賭けることだと考えています。西洋哲学自体もその外部も理解せずに「哲学」という名の幻想に閉じこもる排他的な態度も、反対に「哲学」を拒絶してあえてそこから距離をとって「思想」を名乗る態度も、ともに不十分です。世界哲学の視野は、まさにそういった態度に風穴をあけるものです。

†哲学の視野拡大

日本では一九世紀半ばから西洋哲学が導入されてようやく文明化し、それを咀嚼して独自の哲学が生まれたのが一九一〇年に刊行された西田幾多郎（一八七〇～一九四五）『善の研究』だ、そう語られています。それゆえ、西田哲学やその後の哲学だけが「日本哲学」と呼ばれる傾向にあります。

中江兆民（一八四七～一九〇一）が晩年に『一年有半』で記した「わが日本古より今に至るまで哲学なし」（岩波文庫、一九九五年、三一頁）という言葉が、決まり文句のように掲げられて、日本にはあたかも本当に何の哲学もなかったかのような思い込みが広まっているのです。兆民がこう言った時、本当の哲学は自分が示すという気概と希望をこめていたはずです。しかし、彼はその後すぐに逝去したため、この言葉をバネに哲学を進めることはできませんでした。その言葉を言い訳にして、自分たちには「哲学がない」などと開き直る後世の人々の態度を見たら、兆民は憤慨することでしょう。

しかし、このような限定的な視野は、西洋文化帝国主義・植民地主義のイデオロギーを内面化して強化するものでしかありません。そのような狭い視野が哲学そのものを貧困にし、機能不全にしていることを、私たちは自覚すべきです。それは、これまで哲学の中心として大きな影響力を振るってきた西洋哲学の見直しと再生にもつながるはずです。

では、「哲学」と呼ぶべき普遍的な知的営為は、どのように可能なのでしょうか。私たち人間が世界の各地で、歴史や文化や宗教のさまざまな伝統を背負って行っている哲学のローカルな営みは、それぞれが異なった形式や主題や方法や特徴を持っています。それらがすべて哲学であるといったん認めたうえで、そこから共に哲学を進める場を作っていく意識的な試みが「世界哲学」です。つまり、世界という視野に広げることで、特定の強い伝統に閉じこもりがちな思索や活動を世界へと解き放ち、そこで対話を通じて新たな哲学を立ち上げようとする試みが、世界哲学なのです。大切なのは、西欧で培われた「西洋哲学」も一つのローカルな哲学に過ぎない、という認識です。

他方で、世界哲学のような試みが結局は全世界の西洋化であり、一方的な文化侵略になりかねないという危険性を、つねに意識しなければなりません。それを避ける手段は一つ、つまり多様な立場の間で真に対等な対話を実現し、日本や非西洋から哲学のあり方を積極的に提示して、その意義を共有することでしょう。つまり、日本の伝統思考や芸術や世界観には西洋哲学とは異なる可能性があり、それも「哲学」として論じるべきことを正しく示す必要があります。さらに、そういった開かれた哲学を認めない限り、西洋哲学も狭いローカルな範囲に留まってしまい、おそらく現代の社会や世界に十分に対応できないことを意識すること、それが必要です。哲学を真に私たち全員の哲学にする試みが、世界哲学なのです。

†『世界哲学史』の試み

ちくま新書で『世界哲学史』というシリーズを全八巻と別巻で刊行したのは、二〇二〇年、ちょうど新型コロナ感染症の流行が始まった時期でした。編者はアメリカ哲学の専門で京都大学名誉教授の伊藤邦武（一九四九〜）、西洋中世・近世哲学の専門で慶應義塾大学教授（当時）の山内志朗（一九五七〜）、中国哲学の専門で東京大学東洋文化研究所教授の中島隆博（一九六四〜）、そして西洋古代哲学を専門とする私の四名でした。本編で八二章と三一のコラム、別巻で座談会を含む一七章を加えたこのシリーズには、計一一六名の研究者がそれぞれの専門分野で最先端の知見を寄せました。短期間に集中して出したという事情もあり、荒削りで不十分な面が多々あり、全体として統一性に欠けますが、日本で初めての総合的な世界哲学史の試みとして、幸い多くの読者から好評をいただきました。東アジアでも注目してもらい、韓国語版がすでに出版され、中国語版も準備されています。『世界哲学史』第1巻「あとがき」でも触れましたが、「世界哲学」は二〇一八年から日本で新たに始まった共同プロジェクトで、ちくま新書のシリーズはその最初の成果となりました。刊行から三年以上たった今、『世界哲学史』の成果を踏まえて、より広い視野で次の一歩を踏み出すべきだと考えています。「世界哲学」をより本格的に論じるために、その進展を期待して出すのが本書です。

『世界哲学史』のシリーズは一般の注目を受けましたが、学術書でも単独著者による一般書でもないことから、通常の書評はほとんど出ていないようです。そのなかで、日本仏教を専門とする末木文美士（すえきふみひこ）（一九四九〜）がこの主題を論じて書評を発表しています。*

＊『未来哲学』第四号、二〇二二年に掲載された「『世界哲学史』以後の哲学」で、論文集『絶望でなく希望を――明日を生きるための哲学』（ぷねうま舎、二〇二二年）に再録。

末木はそこで「世界哲学史」の試みを冷静に、かつ好意をもって分析しつつ、いくつかの問題点を指摘しています。最大の論点は「何が哲学であり、何が哲学でないか」という定義をめぐるものです。末木自身は「日本哲学史」という呼称は用いず、自身の岩波新書『日本思想史』（二〇二〇年）をはじめ「日本思想史」という名称を使っています。

たとえ哲学を西洋圏から解放して、非西洋圏の哲学も同等に含むものに広げたとしても、やはりその領域にはある限定が残されるであろう。過去の日本思想から養分を吸収しようというのであれば、もっと漠然と幅広く非哲学的な「思想」をも含めて考え、そこから新たな発想を汲みだすほうが有効ではないかと考えられる。（「いま日本で哲学すること」『絶望でなく希望を』一五四〜一五五頁）

本書はこの問題提起を受け止めつつ、しかしそれとは反対の結論を示すことになります。

†種々の試みの挫折

「世界哲学」という言葉は、これまでさまざまな哲学者によって提唱されてきました。その一人に、ドイツの哲学者でナチス政権に反対の態度をとりつづけたカール・ヤスパース（一八八三〜一九六九）がいます。ヤスパースは第二次世界大戦の直前に「世界哲学」の理念を抱き、戦後の著作でそれに言及しています。哲学といえば西洋哲学だけと考えられていた時代に、哲学を世界に開こうとした試みは立派でしたが、実際に十分に広い視野で具体的な考察が呈示されるまでには至りませんでした。

「世界哲学」の理念が時折唱えられ、重要性が認識されてきたにもかかわらず、具体化せず成功しなかった理由は何でしょうか。私は基本的な二つの限界があったと考えます。一つには、一人の、あるいは少数の研究者が世界の多様な哲学伝統や歴史に精通してそれを正確に伝えることは不可能だからです。実際、ブッダ（前五世紀頃）や孔子（前五五一頃〜前四七九頃）らを論じたヤスパースでさえ、西洋以外の伝統については必ずしも十分な知見を持っていなかったと指摘されています。個人の能力と視野には限界があります。

もう一つは、どこか一つの視点から世界の多様な哲学伝統を万遍なく見渡すということ、とりわけ偏りなく十分に見ることの限界です。どちらも、言われてみればごく当たり前のことです。

例えば、アメリカ合衆国では「世界哲学」と呼ばれる教育科目があり、欧米だけでなく他の地域の哲学についても教えています。確かに視野を広げるという意義はありますが、例えば日本哲学では、英語に訳されたごく限られた著作（の一部）や哲学者がカリキュラムに含まれるという状況です。これでは、表面的で偏った見方から脱することは容易ではないでしょう。いわば「アメリカから見た世界」の哲学だからです。

世界哲学が本当にその名に値するものであれば、むしろアメリカやヨーロッパでの哲学のあり方に違和感を差し向け、それを相対化したり批判したりする役割を果たすものでなければなりません。今のところ、欧米での世界哲学の試みがその域に達していないのは、その内部にいる欧米の研究者たちには本当の外部を見ることが難しいからではないでしょうか。アジアやアフリカから研究者が参加している場合でも、対等な対話の場を実現するのは並大抵のことではありません。真の世界哲学への道は遠いようです。

†世界哲学を日本で行う意義

日本発のプロジェクトが目指しているのは、そういった限界を超える「世界哲学」の構築です。そうは言っても、それも結局は「日本から見た世界」に過ぎないのではないか、そんな意見も聞こえてきます。しかし、少なくとも二点で、私たちのプロジェクトは従来の試みとは異なっています。

一つは、日本を拠点に進めることの利点です。従来哲学の本拠地とされてきたヨーロッパや北アメリカ、とりわけイギリスやフランスやドイツやアメリカ合衆国といった中心地では、どうしても自国の哲学が中心となり他の哲学伝統を周縁として扱う構図になりがちです。それは、英語やフランス語といった言語の制約でもあります。他方、東アジアで別の哲学伝統を誇ってきた中国でも、どうしても中華思想から他を周縁として捉えがちになります。その点、両文化の周縁にある日本は最適な位置にあります。東アジアにおいて中国から儒教や道教を、そしてインド起源の仏教を取り入れて古来の土着文化と融合してきた一方で、近代には東アジアで西洋哲学を摂取する先陣を切ってきました。多様な他の伝統に開かれた日本は、世界哲学を遂行するには望ましい場だと言えるでしょう。

二つ目は、日本では西洋から東アジアまで幅広く質の高い専門研究がなされている点です。これはちくま新書『世界哲学史』の成果を見ても分かります。個々の専門研究者の守備範囲は必ずしも広くはなくても、それらが集まって一つの議論の場が築ければ、他の地域では難しい総合的な世界哲学が可能になるのではないかと期待されるのです。

しかし、日本において日本人研究者が日本語だけで議論していても、本当の「世界哲学」にはならないでしょう。それはやはり「日本から見た世界」に過ぎないからです。それを超えるためには、世界のそれぞれの地域や文化、あるいは異なる領域での海外の研究者たちと共同で議論を続けていく必要があります。日本は、そのためにもおそらく格好の場となります。というのは、必ずしも相互に接触や友好関係がない地域の人々でも、日本という第三の場に集い、そこでの議論を介して新たな結びつきを作るということが可能だからです。そのような開かれた対話の場として、日本が「世界哲学」を理念として打ち出し、その議論を牽引する役割がある、私はそう信じています。

†本書が目指すところ

本書は、ちくま新書『世界哲学史』の試みを受けて、今後そこから「世界哲学」を発展させるために、私たちは何を考え、どう対話していくべきかを考える試みです。「試み」が続くのは、これが何か確定した学問や研究成果を示すものではなく、むしろ未来に向けて現在進行中の、英語で言うオンゴーイング・プロジェクトだからです。私自身は、『世界哲学史』第1巻序章「世界哲学史に向けて」で書いたことを反省しながら、第1巻第1

章、第2巻第1章、別巻I第4章で論じたことをさらに発展させたいと考えています。
世界哲学が一人や一部の人々ではできないことは前に述べた通りで、そのためにはできるだけ多数の幅広い人々が参画して、一緒に議論していく必要があります。より多くの視点と声が加わればそれだけ多様で対立する意見も増えることでしょう。また、それだけ一層予期しない新たな見方が出現する可能性も増えます。「世界哲学」はそのような可能性の場であり、開かれた議論のプラットフォームです。

本書が「世界哲学のすすめ」であるのは、すでに出来上がった世界哲学・世界哲学史を皆さんに学んで欲しいからではなく、むしろこの試みに一緒に加わってもらいたいからです。「世界哲学に参画する」とは、私たちが生きているこの世界で哲学し、そのために「世界哲学」という視野を持つように、一緒に追求したり対話したりすることです。世界哲学の視野を持つとは、ローカルな限界を意識しつつその都度それを超えてものごとを考える、そんな態度を養うことです。

世界哲学のスタイルと実践に関して、私は「子どもとの哲学」や「哲学カフェ」や「哲学対話」など、従来の学問としての哲学から開放された哲学実践を簡単に紹介し、そのような「哲学の民主化」が哲学を豊かにすると論じました。[*] これらは現代では異端的な哲学のやり方に見えるかもしれませんが、「知を愛し求める」という哲学の基本精神、古代の実践からすれば当然のあり方です。古代ギリシアのソクラテス（前四六九頃～前三九九）に限らず、ブッダや孔子ら、古代の哲学はみな「善く生きる」という問題に関わり、哲学者自らがその生き方を遂行することで同時代と後代の人々に示してきたからです。

＊『世界哲学史』別巻、I第4章「世界哲学のスタイルと実践」二一一～二一五頁。また、納富信留『対話の技法』（笠間書院、二〇二〇年）参照。

したがって、「世界哲学」はけっして一部の専門研究者の独占フィールドではありません。むしろ専門研究の枠組みを越えて、私たちが生きる現場で私たちの世界が直面する課題を考えるための開かれた試みとなることを期待しています。地球環境変化、感染症、戦争対立、食糧エネルギー危機、社会経済格差、心の病といった深刻な問題をかかえる現代の私たちに、何ができるのか、何をすべきか、それを真剣に考える場を作りましょう。それがまさに世界哲学の役割なのです。そのために、読者の皆さんも自分の問題としてこの「世界哲学」の可能性について考え、一緒にその探求に乗り出すよう、お勧めします。

それでは、世界哲学に向けて考察を開始しましょう。

2 世界哲学とは何か

を与えておきましょう。

†世界哲学――その定義

これまで方向を探ってきた「世界哲学」に、ここで暫定的にであれ、もう少し明確な形を与えておきましょう。

世界哲学は、哲学の一つの方法です。「一つの方法」と言うのは、哲学には他にもいろいろな方法があるからです。実際「哲学をする」と言う場合、多くの人は「存在とは何か」とか「正義とは何か」といった根源的な問いを直接取り上げ、批判的に検討することをイメージするでしょう。もちろんそれも主要な哲学のやり方ですが、あえてそれとは異なる方法をとること、その一つに世界哲学があります。ただし、世界哲学という方法は哲学本来のあり方を実現することを目指しますので、世界哲学はどれでも構わない多数の方法の一つではなく、まさにもっとも重要な方法になることが期待されます。

世界哲学を成立させるのに、いきなり「世界」に向かうことはできません。世界を構成している多くの地域や伝統があり、ヨーロッパ哲学や中国哲学、日本哲学など、まずは個別の哲学伝統を吟味し追究していく必要があるのです。それらを照らし合わせ、そこにより普遍的な哲学の姿を見ることが、世界哲学です。したがって、世界哲学という方法は「比較哲学」と「哲学史」という二つの枠組みをとります。

†世界哲学の主体と対象

では、世界哲学はどの範囲で遂行されるのでしょうか。この問いには、二つの観点を区別する必要があります。哲学を遂行する主体と、哲学で考察される対象です。

この区別は一見当たり前に思われるかもしれませんが、けっして自明ではありません。例として「現代フランス哲学」を取り上げてみましょう。多くの人は、サルトル（一九〇五～一九八〇）やメルロ＝ポンティ（一九〇八～一九六一）やレヴィナス（一九〇六～一九九五）、さらにドゥルーズ（一九二五～一九九五）やフーコー（一九二六～一九八四）やデリダ（一九三〇～二〇〇四）ら、現代フランスの哲学者たちと彼らの言論活動を指すと考えるでしょう。しかし、その限定は正当でしょうか。

例えばドゥルーズは、ベルクソン（一八五九～一九四一）らフランス哲学者の他に、フランシス・ベーコン（一五六一～一六二六）やスピノザやヒューム（一七一一～一七七六）やカントやニーチェ（一八四四～一九〇〇）といった哲学者たちを論じています。したがって、その議論はイギリス哲学やドイツ哲学の範囲に入りますが、それでもドゥルーズが論じている限りは「現代フランス哲学」とも呼ばれます。議論の主体（フランス）と対象（イギリスやオランダやドイツ）がズレている場合、どちらからでも取り上げられるのです。

また、ドゥルーズの著作や議論は日本でも盛んに論じられています。それがたんなる紹介や翻訳に留まらないとすると、ドゥルーズを論じる著作も「現代フランス哲学」と呼ばれて然るべきです。実際、図書館や書店でその名称の棚を覗くと、ドゥルーズ自身の著作の翻訳に加えて、それを論じる本格的な研究書も一緒に並んでいます。フランス哲学の著作を読み批判的に思考することで、日本語で展開している哲学も、広い意味で「現代フランス哲学」と呼ばれるのです。

そうだとすると、「現代フランス哲学」は、必ずしもフランスだけで、あるいはフランス人によってだけ行われるのではなく、それに参画する主体は、世界中のどこにでもいることになります。特定の地域や文化の出身でなければならないとか、特定の言語や伝統を背負わなければならない、ということはないはずです。これをフランスから他の地域へと拡張すると、世界哲学の主体がすべての人に開かれていることが分かります。

では、世界哲学が考察する対象はどうでしょう。かつては西洋哲学のみが「哲学」の名に値し、それ以外は対象から排除されてきました。ヘーゲル（一七七〇～一八三一）がインド哲学や中国哲学を彼の「哲学史」の本体に入れなかったのも、それが対象として不十分だという理由からです。しかし、そんな見方が偏狭であることは、すでに明らかでしょう。世界哲学が扱う対象は、従来の西洋哲学を越えなければなりません。

もし現代フランス哲学が純粋にローカルな哲学として存在するとしたら、フランス人哲学者たちがフランスでフランス語によってフランス語の哲学書を対象にして議論する哲学に限られます。しかし、世界哲学ではむしろ主体と対象がズレていて、そこに積極的な意義が見出されると考えてみましょう。すると、日本人が現代フランスの哲学を論じること、あるいは、現代のフランス人が日本の哲学を論じることが、より重要な役割を果たすことになります。

ローカルに哲学する生粋のフランス哲学者は、その限りで他の哲学伝統に目を向けて、そこで他者に出会うことは少なくなります。対照的に、主体と対象がズレていてその差が大きいほど、そして、より多くのズレがあるほど、開かれた哲学が発展します。

私自身を例にさせてもらうと、現代日本で生活する者が、古代ギリシアの哲学を対象にして、世界各地に行って複数言語で議論しています。それは、古代ギリシア哲学であり現代日本哲学であり、英語圏などの哲学の一部です。そして、ソクラテスやプラトンの問いに向き合い考えることで、まさに今、哲学をしています。こうして私たちは、すでに世界哲学を行っているのです。

このように、世界哲学の主体は世界中のあらゆる人であるべきで、同時に、世界哲学が対象とするのは世界のあらゆる思想や言説であるべきでしょう。無知ゆえに、これまでそこには「哲学などない」と思い込んでいた文化や伝統のなかに、自分とは異なる哲学の生き生きした営みを見たり感じたりすること、それが世界哲学の醍醐味なのです。

各主体が自分の伝統や哲学の立場を越えて、異なる哲学の伝統に出会いそれを対話の相手とすることで、自己の特殊性を自覚することになります。そして、その異質な哲学が一つではなく、複数の多様な哲学を対象とすることで、さらに視野が広がり、より豊かな思索を重ねることができます。そうして多くの哲学を包み込むことで、世界の全てを哲学の対象にすること、その哲学の営みに世界のさまざまな人が主体として参加すること、そうして「世界哲学」は真に豊かなもの、人類の知の可能性や潜在性を最大限に生かす営みとなるのです。世界哲学こそ、私たちが今生きる場と、自身のあり方を気づかせてくれる契機なのです。

†比較哲学という枠組み

哲学する主体と対象をズラすことで自己を他者と出会わせて、そこから新たな思索を始めること、それが世界哲学の意義だとしたら、私たちは必然的に異なる哲学伝統の間を行き来することになります。「異なる」とは地理的、時代的、言語的と、さまざまな点で見られます。そのような世界哲学には、個別の哲学伝統を複数並べて比較したり、総覧したりする比較哲学の枠組みが採られます。*

*比較思想学会を立ち上げた中村元の『比較思想論』（岩波全書、一九六〇年）参照。

比較には、単純に二者を並べて見比べるだけでなく、様々な観点と手法があります。少し整理してみましょう。

二つの哲学伝統を並べて考察する場合、両者の間にはさまざまな関係がありえます。まず、地理的にも文化的にも隔たっていて、直接の関係がない場合があります。古代文明では、例えば前六世紀のギリシアの哲学は、同時代の中国での哲学とはまったく関係がありません。その場合、どれほど類似した思想があったとしても、それは偶然的な並行現象だと見なせますので、純粋に比較検討して共通性と相違を取り出して比べることになります。

次に、二つの哲学伝統の間に地理上の関わりで交流を持つ場合があります。隣接する二つの地域の間にどのような関係があり、そのため、どのような類似性や影響関係が生じたのかを見ることになります。

さらに、時代的に隔たって影響関係がある場合にも、その限りで比較が成り立ちます。例えば、ギリシア哲学を取り入れてラテン語で展開したローマの哲学や、ギリシア哲学を批判的に導入したキリスト教の教父哲学、イスラームの哲学などです。

しかし、このように地理的・時代的な関係を別々に扱える場合ばかりではありません。

時代を隔てて相互に影響を与え合っている場合や、交流から複合的な動きが生まれることもあります。「折衷」と呼ばれる現象も、この意味では複数の伝統が出会った結果といえます。

比較哲学を遂行する者は、これらの異なる関係を見定めた上で、共通性や相違を正確に比較しながら、そこから新しい思考を生みだしていくことになります。

比較哲学は、すでに存在している二者、あるいは複数の哲学伝統を並べて比較するだけではありません。比較するという仕方でそれらを取りあげて新たな光を当てるのは、二者を目の前に置いて考察する私たち主体です。その営みを通じて、考察者が自身のあり方を反省することになります。それが主体と対象の間に起こる相互作用です。比較哲学とは、比較を遂行する者自身の哲学なのです。

†哲学史という枠組み

比較哲学と並んで、世界哲学に必須の枠組みとして「哲学史」の研究があります。[*] 比較哲学の場合と同じく、哲学史は既成のものではなく、私たちは哲学史を描くことで新たに哲学を遂行します。それは過去や歴史との対話であり、私たち自身の変容です。

＊哲学史の意義は、納富信留「始まりを問う哲学史――複眼的ギリシア哲学史への試み」、日本哲

学会編『哲学』（六八号、二〇一七年）参照。

哲学史は、個別の地域や伝統や時代において、どのような思索や議論がなされてきたかを詳細に検討する研究枠組みですが、歴史的には一八世紀のヨーロッパで成立した哲学の手法です。

哲学史の手法にも考慮すべき問題があります。まず、時代順に哲学者や哲学説を並べるのが哲学史ではありません。また、現在からとおく離れた時代の思想をどう扱うかは、方法論的に困難な問題です。そもそも証拠や証言が少ないものを復元する作業の限界もあります。また、現在の視点から遡及的に見ることで、過去を歪めて見てしまうこともあります。「勝ち馬に賭ける」と呼ばれる歴史観ですが、結果的に生き残ったり優位に立った思想や立場や理論を元にして、それをもたらした原因や起源を優先させる説明法で、その不適切さが指摘されています。

思想や議論はそれぞれの時代や文化背景で異なる意味を持ちます。哲学概念も論理もおおきく異なっています。その中で、過去のある時代に書かれ読まれた通りに著作を読むことが可能か、それは現在において意味があるのか、そういった方法論的な問題も論じられてきました。*

*クェンティン・スキナー『思想史とはなにか――意味とコンテクスト』（半澤孝麿、加藤節編訳、

岩波書店、一九九〇年、原著一九八八年）参照。

さらに、一つの哲学史の内部でも多くの疑問が浮かびます。哲学者や思想は相互に関係があるのでしょうか、あるいは、そういった影響関係をどれくらい重視すべきでしょうか。直接会って議論した場合は別にして、読書や間接的な伝聞を通じた影響はどれほど見積もるべきでしょうか。影響関係があったとして、それはその哲学者の思索を理解するのに、どれくらい重要なのでしょうか。どんな哲学者でも、同時代や前の時代の哲学理論を学び咀嚼して、意識的にせよ無意識的にせよ、おおいに取り入れていることは普通です。だからといって、それがその思想の成立の十分な説明になるとは思われませんし、影響があったと言ってその哲学者のオリジナリティが減るわけでもありません。

また、一人の哲学者の人生のなかで、あるいは歴史の経緯で哲学の発展はあるのでしょうか。それとも、それぞれ独立の価値を持つ思索だけがあるのでしょうか。ヘーゲル弁証法が説明したような精神の発展は想定すべきではありませんが、にもかかわらず、歴史の発展に意義を見出そうとすると、途端にさまざまな難問に行き当たるのです。

さらに、一つの哲学史だけでなく複数の哲学史の交錯や関係を検討しようとすると、問題はさらに複雑になります。哲学史自体にも比較哲学の手法が用いられることになるからです。

ここで世界哲学に話を戻しましょう。世界の多様な哲学伝統を対象にして、世界のあらゆる主体が共に議論するのが世界哲学だとすると、とりわけ考察対象と主体それぞれの属する哲学史が重要となるはずです。そして、その総体として「世界哲学史」が問題になるのです。

†世界哲学を生きる

世界哲学とは何かについて、最後に、その遂行の仕方について考えてみましょう。「哲学」というと、学術分野の一つとして理論的な研究を遂行する営為だと思われています。その研究とは、専門の研究者が大学や研究機関に所属して、研究成果をまとめて論文や著書として発表するものだとされています。大学や社会で哲学を講義し、学会で発表や討論を行い、細分化した特定の主題について最先端の知見を身につけているのが専門家とされます。

しかし、そうした「哲学者、哲学研究者」は、せいぜい一九世紀から西ヨーロッパや北アメリカで定着したものに過ぎません。それ以前にはヨーロッパでも哲学者たちは、もうすこし多様な職業に就き、異なる生活を行い、枠に縛られない知的活動に従事していました。僧侶や政治家も少なくありませんでした。欧米以外でも、大学に相当する研究教育組織を営んできた文化圏もあれば、それとはまったく異なる知識人が活躍した社会もあります。哲学主体の活動は実に多様でした。

世界哲学の場合、とりわけその対象は専門学術領域としての「哲学」に限る必要はありません。文学や芸術や宗教や生活や社会活動など、さまざまな人間の営みが対象となり得ます。また、世界哲学に従事する主体についても、大学や研究教育機関に所属する専門家である必要はありません。むしろその限定を越えて、多様な背景の哲学を含めることに意義があるはずです。

その場合、むしろ大学で学術研究する現代の「哲学者」というあり方が特殊であり、あるいは不十分だと考えるべきではないでしょうか。古代社会では、インドでも中国でもギリシアでも、思索してその思想を実践して生きる人たちが哲学者でした。哲学はしばしば身体の修練を含み、社会や個人の行為がより重視されました。政治哲学を実践する哲学者も、教育で社会に貢献した哲学者も、科学技術を進展させた哲学者もいました。こう考えると、現代における「哲学」と呼ばれる営みを見直しながら、根本的に組み替える必要性が痛感されます。

現在私たちは「哲学」の名の下で、現実の問題とは関わらない抽象論に終始したり、空疎な議論に没頭することが多くなっているように見えます。物事を根源から徹底的に考えることが哲学の美徳ですが、あくまで世界のリアルな問題に向き合いながら、世界哲学を推進していく姿勢が必要です。私たちは議論を通じて「生きた世界哲学」を実践していくべきなのです。世界哲学の意義と可能性は、私たちが哲学をしてより善く生きることそれ自体にあります。果たしてこの試みが成功するのか、あるいは、やはり無謀な挑戦に終わるのかは、世界哲学の試みに加わる皆さん、自身の生き方にかかっています。

第2章 世界を生きる哲学

1 暦

†世界を時間と空間から捉える

私たちは「世界」のなかで生きています。そして、「世界」に向けて哲学の視野を広げようとしています。これらの点から、まず「世界」という意味を考えてみましょう。それはけっして自明なものでも、容易に把握されるものでもないからです。

まず、私たちが「世界」で生きているという時、この「世界」とは、日本やアジアやヨーロッパやアメリカやアフリカを合わせた地理的な意味での世界には留まりません。むしろ、全地上を含めた地球や太陽系、銀河系、そして宇宙やそれさえ超えるすべてを指します。これは私たちの日常の言葉遣いというより、哲学者の語り方かもしれません。マルテイン・ハイデガー（一八八九〜一九七六）の有名な「世界内存在（In-der-Welt-sein）」という概念にある「世界」です。

　他方で、マルクス・ガブリエル（一九八〇〜）は、『なぜ世界は存在しないのか』（清水一浩訳、講談社選書メチエ、二〇一八年）で、「全体」としての世界を想定することを否定しています。外側から捉えられる「世界」はないという考えです。そこで批判されている「世界」という概念は、哲学的、さらに言うと形而上学的で超越的存在です。

　しかし、私たちの「世界哲学」はそういう全体存在を前提するものではなく、むしろ私たちがその内で生きる場、そしてどこまでも動的に開かれていく地平として「世界」を語っていきます。私たちは「世界」のなかで、その果てや限界を知ることなく、内側から語りを遂行していくのです。

「世界の内にある」という、なにか当たり前のことのように聞こえる表現が、私たちを哲学の世界へと導いてくれます。私たちが生きるのは、何時か、何処かでのことでしょう。それは、今、ここでです。つまり「世界の内」というのは、差し当たり時間と空間における私の位置になります。

　時間と空間は、哲学でこれまで論じられてきた主要テーマです。しかし、ここでは抽象的な哲学理論には向かわず、私たちがどのように世界の内で生きているのかを、日常の感覚から振り返って反省してみましょう。考察の手がかりは、暦と地図です。暦というのは、年月日を表すカレンダーのことで、年単位では年表になります。また、身近な地図には徒歩や車で移動する街路図や区域図がありますが、それを拡張すると世界地図になります。まずはそういった切り口から「私たちの世界」について考えていきましょう。

†自然の暦法

私がこの文章を書いている「今」は、二〇二三年一月一日、日曜日の朝七時で、二一世紀の最初の四半世紀の終わりに近づきつつある新年です。

二〇二三年は、キリスト教に基づく西洋の暦、つまり「西暦」での表示ですが、日本の元号では令和五年になります。さらに一月一日というのは太陽暦での日付で、時刻は、明石近くの東経一三五度の子午線に設定された中央標準時です。イギリス・ロンドン近郊のグリニッジにおかれた世界標準時では、前日の二〇二二年一二月三一日二二時に当たります。

こうして私たちは「今」という時を、大きな範囲では年表を使い、中位の範囲ではカレンダーを、小さな範囲では時計を使って捉えています。暦は「年」という単位を基本にしています。これは、太陽が地球の回りを一周して、ふたたび同じ位置に戻るまでの時間です。その一回を一年として、二年とか五年とか一〇年、さらに一世紀（センチュリー）、千年紀（ミレニアム）といった数え方をしています。

でも、すこしおかしいとは感じないでしょうか。「太陽が地球の回りを一周して」という言い方は、中世までの天動説のように聞こえます。現代の私たちは、反対に地球が太陽の回りを周っている地動説を習っています。地動説で言えば、太陽系において第三惑星の地球が太陽の回りの公転軌道を一周することが一年ということになります。でも、私たちの生活感覚は、太陽の方が回っていて、一日では昇って沈み、一年では春夏秋冬で高度を変えています。日が長くなったとか、日が高くなったとか、日の入りが早くなったとか、そういった日常の感じ方をしています。

こうして天体の運行、つまり地球と太陽、さらに月の間での相対的な位置関係によって時間を設定することは、地球上で生きる私たち人類にとって、例えば季節ごとの寒暖や乾湿や風光などを知る上でもっとも大切なことでした。狩猟や漁撈や農業、さらに航海などもこの自然の時間に従って行われたからです。一年の中で季節の移り変わりを測るには、太陽の南中高度や日の長さも使いますが、夜空の星はとりわけ重要な目安になりました。

もう少し短い周期では、月の満ち欠けが私たちの生活により密接に関わり、そのため古くは太陰暦を使う社会が多かったのです。新月をゼロとする月齢は、ほぼ二九日で一周します。海の潮位も太陽と月の位置関係で決まるので、大潮や小潮などの潮名が周期を表わしています。そうした自然のリズムは、海辺に生活する人たちにはごく普通に認識されていました。それを暦にした「月」は、太陽の運行に基づく暦との間でズレが生じます。私たちは太陽暦を使いながら、一二の月を数えるのはその名残りです。

いずれにしても、一年をきめる太陽の回りを周る地球の公転と、一日をきめる地球自体の自転といった自然の時間基準は、数字できれいに割り切れるものではないので、古代から「ズレのない暦」を作るには大変苦労してきました。「閏年（うるう）」などのさまざまな補正が必要だからです。また、どの暦を使うかによって、同じ時が異なる表示を受けてきました。

ここでもう一つ、曜日について考えてみましょう。七日を一週とする単位は、旧約聖書『創世記』にある神の世界創造の話に由来し、六日間で世界を作り終えた神が七日目を安息日としたという伝承を、宗教上の儀礼として日常生活に組み込んだものです。この一週七日制は自然界の区切り、例えば天体の運行とはまったく無関係で、それゆえ規約的、便宜的なものです。

にもかかわらず、「週・曜日」はキリスト教を通じて世界中に広まり、元来の安息日という概念が薄れながら、日曜に仕事を休むという勤労と休息のリズムとして定着しました。フランス革命時には、このキリスト教の習慣を廃止して十日からなる新しい一週間の暦が提案されましたが、不評のうちに自然消滅してしまいました。一般の人々にとって、七日に一日あった休日が十日に一日に切り詰められることは、労働を増やすトリックに見えたようです。

†キリスト紀元の西暦

私たちが当たり前に使っている「西暦」も、改めて考えてみると、かなり不思議なシステムです。執筆中の今は二〇二三番目の年ですが、それはナザレのイエス（前六／四頃〜三〇頃）というキリスト教創始者の生まれ、つまりキリスト教でいう「受肉」を基準にした通算年代です。

不思議なのは、始まりが「紀元一年」でそこから何年経ったかで表示されていて「〇年」は存在せず、誕生の一年前は「紀元前一年」と呼ばれる点です。つまり、紀元後は一年から一〇〇年までで一世紀ですが、紀元前一世紀は前一年から前一〇〇年までになります。キリスト生誕年を挟んで前後対称的できれいに見えるかもしれませんが、通年表を作ってみると不合理が分かります。前一世紀が前九九年から〇年だったとしたら、きちんと揃うはずです。西暦は、紀元前後の一年から新旧に対称的に進んで行く暦なのです。

「キリスト生誕年」と呼んできましたが、ナザレのイエスの生誕は歴史年表には前四年から前六年頃と記載されています。後五二五年に新しい暦を作ったディオニュシウス・エクシグウス（四七〇頃〜五四四頃）が、基準となるイエスの生誕年の計算で間違えたのだと言われています。彼はこう言っていました。

初めにわれらの主イエス・キリストの誕生からの年数によって時間を記すことを選んだ。そうすればわれわれの希望の始まりがよりいっそうわれわれに親しいものとなり、人類の復興をもたらした、われわれの救い主の受難がよりいっそう鮮やかに浮かび上がることになろう。（H・マイアー『西暦はどのようにして生まれたのか』野村美紀子訳、教文館、一九九九年、九三頁の引用）

しかし、西暦は、実はイエス生誕から数えた年数から数年ズレてしまっていたのです。イエス・キリストの誕生を起点として、それ以後の年数を数えるのが西暦ですが、地中海世界でも他の地域でも、それ以前にも長い歴史がありました。それは「紀元前」と呼ばれ、例えばエジプト・ギザにあるクフ王のピラミッドは紀元前二五〇〇年頃に建設されたと推定され、ソクラテスは紀元前三九九年に処刑されました。西暦は、ある時を起点にそこから遡る年数で数えているのです。イエス・キリストの生誕という出来事が、いかに重要だと考えられてきたかを反映しています。

しかし、それならばいっそ聖書に基づく「創世紀元」、つまり世界創造から数えた年数を使う方が合理的ではないかと思うかもしれません。実際、二世紀末にローマのヒッポリュトス（一七〇頃〜二三五頃）とユリウス・アフリカヌス（一六〇頃〜二四〇頃）が普及させた世界年代史では、イエスの誕生は創世紀元五五〇〇年とされました。この数え方では「紀元前」は存在せず、その点は合理的ですが、紀元を何年に設定するか、その計算をめぐってキリスト教徒の間でまったく一致を見なかったため、実用的に広まらなかったようです。

キリストを起点にした「西暦」という数え方が発達したのは、六世紀頃とされています。それまで人々は別の暦を使っていました。イエスの生誕が重要なのは、それが「受肉」という決定的な紀元の時とされたからです。

地中海世界では、古代にはギリシアで四年ごとに開かれたオリンピック競技会の回数で表す合理的な年代表記法がありました。最初に競技会が創始されたと伝えられる紀元前七七六年を第一回として、そこからの大会回数で年代を表す方式です。その第一回大会は、伝説の英雄ヘラクレスが開始したと言われています。

オリンピックの回数を数えるために必要な優勝者リストは、ソクラテスと同時代に職業的知識人ソフィストとして活躍したヒッピアス（前四六〇頃〜前三八四）が最初に整備したものです。それを後に、アリストテレスが発展させて番号を振ったと言われています。オリンピック大会暦で言えば、プラトンは第八八回オリンピック期第一年タルゲリオン月七日に生まれたとされているので、西暦に換算すると、紀元前四二七年五月になります。
キリスト教はこうしてイエスを中心にした暦法を地球上の他の地域にも伝え、人類でもっとも共有されている時間の表示法となっています。

仏教の時間把握

インドで成立して東アジアに展開した仏教は、独特の時間把握を持っています。「未来永劫」や「刹那」という表現は私たちの日常生活でも耳にします。「永劫（「ようごう」とも）」とは、はるかに長い時間を指しますが、「刹那」はその反対に、指を一つ弾く間に六〇か六五の刹那があると言われ、一秒の数十分の一というごく短い時間単位です。ただ、それは長さのない点のような「瞬間」とは違います。

それら長短の時間感覚に基づく仏教の歴史観も興味深いものです。釈迦牟尼（ゴータマ・シッダールタ）に続いて弥勒菩薩が「ブッダ」となり、人間を救済するのは、ゴータマの入滅後五六億七〇〇〇万年後の未来だとされています。その時に弥勒はこの世界に現われて悟りを開き、衆生を救済するというのです。

弥勒菩薩はそれまでは兜率天と呼ばれる彼方で修行していると言われますが、それが年数の算定根拠となっています。すなわち、兜率天での弥勒の寿命は四千年ですが、兜率天の一日は私たちが生きる地上の四〇〇年に相当することから、この世界に戻ってくるには四〇〇〇年×一二カ月×三〇日×四〇〇年という歳月がかかることになるのです。五億七六〇〇〇万年になりますが、数字がいつからか変わって、水増しされてしまったようです。はるかはるか未来という意味ですので、計算はそれほど気にしなかったのでしょう。

こんな永劫の時間は想像もできませんが、私たちに身近なところでは「末法思想」があります。釈迦が説いた正しい教えがこの世で行われている時代は「正法」と呼ばれ、千年ほど続きますが（異説では五〇〇年）、次に、釈迦の教えが行われていても外見だけで、実際に悟る人がいない「像法」の時代が来ます。その千年の後には、人も世も最悪となり正法がまったく行われない時代として「末法」の時代が来るという歴史観です。

「正法、像法、末法」の三つの時代がその通りに訪れると信じて、その暦を計算したのは中国の仏教徒だと言われています。無論、計算の仕方や長さにはいろいろな説が出たようですが、平安期の日本では一般に一〇五二年が末法の元年にあたるとされました。源信（九四二〜一〇一七）が『往生要集』を著したのが、その危機を感じていた九八五年のことでした。藤原頼通（九九二〜一〇七四）により宇治の平等院鳳凰堂が落慶したのはまさに一〇五三年です。自分たちが一体どの時代に生きているのか、それを示すのが暦であり、平安中期の文化や思想には、末法に入ることへの人々の危機意識や不安が色濃く出ています。

†円環的な時間把握

私たちはもう少し人間的な年の数え方を持っています。十二支で年を動物の名前で表す習慣ですが、それが十干と組み合わされると「甲子」とか「丙午」といった年代表記になり、六〇年で同じ干支に還ってきますので、それで「還暦」です。

干支法を用いると私たちが一生で出会う大体の出来事の年代は正確にかつ分かりやすく把握できますが、同じ干支で一巡するとどちらだったのかは不明になります。一例を挙げると、埼玉県行田市にある稲荷山古墳から出土した金錯銘鉄剣には「辛亥年七月中記」の紀年があり、それが何年に当たるのかが議論されています。銘に現れる「獲加多支鹵大王」が雄略天皇を指すと考えると「辛亥年」は四七一年になりますが、それでは早すぎるので、五三一年ではないかという説もあります。六〇年ごとにくる「辛亥」をめぐる、古代史の困難です。私たちに馴染みの「辛亥」は、孫文が清国を倒した革命の年、一九一一年です。鉄剣銘からは二三回か二四回の還暦を経ています。

二〇二三年は干支では、「癸卯（みずのとう）」に当たります。卯（うさぎ）年ということはよく知られていますが、「癸」とは中国の五行陰陽説で水性の陰にあたり、日本語で「みずのと（水の弟（おと））」と呼ばれます。

このような円環的な時間把握は、直線上に目盛を振るような時間観とは大きく異なります。同じことが何度もくり返し起こるという円環的時間において、絶対的な時間の規定はさほど問題にならず、その円環のどこに位置するのかが大切になるからです。

ヘラクレイトス（前五四〇頃～前四八〇頃）は、宇宙全体が火で燃え上がる「エクピュローシス」という偉大な年が「一八〇〇〇年（または、一〇八〇〇年）」周期でやってくると言いました。世界がその周期ごとにリセットされて同様の変化がまた始まり進むとしたら、すべてを貫く直線的な時間の数え方はほとんど意味がないことになります。ヘレニズム期のストア派はこの世界周期説を受け継ぎましたが、プラトン主義とも結びついた考えでは、その「偉大な年」は三万六〇〇〇年ごととともされました。

†暦の間の換算

もう一つの重要な世界宗教であるイスラーム教でも独自の年代法があります。預言者ムハンマド（五七〇～六三二）がメッカからメディナに聖遷（ヒジュラ）した時、ユリウス暦で六二二年七月一五日を元年としてそこから計算される太陰暦で、「ヒジュラ暦」と呼ばれます。

ヒジュラ暦は主にイスラーム教の儀式や生活で使われています。「ラマダーン」という第九月は断食を行う期間です。現代ではほとんどのイスラーム国が西暦を使っており、サウジアラビアなど、ヒジュラ暦を公式の暦とする国では西暦とのズレを換算します。二〇二三年の一月一日は、ヒジュラ暦では一四四四年六月八日にあたります。二〇二三年の七月一九日に、ヒジュラ暦では一四四五年一月一日になりました。

ヒジュラ暦は太陽ではなく月の満ち欠けに合わせる太陰暦のため、太陽暦である西暦とズレていて、毎年一一日ずつズレが大きくなっています。現在では西暦と七カ月半もズレて年が始まるのはそのためです。

仏教は発祥の地インドではその後受け継がれませんでしたが、南ではスリランカや東南アジアに伝播して、今でも多くの信徒がいます。上座部(じょうざぶ)仏教徒が多いタイ、カンボジア、ラオス、ミャンマー、スリランカなどでは、釈迦入滅を基準とする仏滅紀元、いわゆる「仏暦」が今でも使われています。釈迦入滅については、ミャンマーとスリランカでは紀元前五四四年、タイやカンボジアやラオスでは一年後の紀元前五四三年を「紀元元年」としていて、計算が一年ズレています。

日本では独自の元号を使っているので西暦との換算はその都度大変ですが、明治以後は天皇ごとに一つの元号（一世一元）で、かつ太陽暦なので、不便は少ないかもしれません。

こうして見てみると、地球上の各地と各文化に生きる私たちは、異なる時間の枠組みを使ってきたことが分かります。その多くが宗教に基づき、その歴史観を反映したものとなっています。異なる暦の間では、換算が必要です。

異なる暦を使うことは、異なる時間意識のなかで生活することです。現代のグローバルな世界では、時間はキリスト教が発展させた「西暦」で統一されています。西暦の誕生と発展を論じたドイツの政治学者ハンス・マイアー（一九三一〜）は、西暦紀元で年を記すことについて「われわれの文化圏ではそれは自明なことである」[*]とさりげなく語っています。そこにはヨーロッパから世界を見る文化中心主義がそこはかとなく感じられます。

*H・マイアー著、野村美紀子訳『西暦はどのようにして生まれたのか』（教文館、一九九九年）、一三頁。

†日本への西暦の導入

西暦、つまり「キリスト教暦」がいまやグローバルに用いられているのは、必ずしも宗教としてのキリスト教が全世界に広がってマジョリティになったからではありません。西洋近代に自然科学や学問が大きく発展して、ヨーロッパや北アメリカから他の地域に広がったからで、そこには経済や文化の交流だけでなく、帝国主義的拡張による植民地化という背景もありました。つまり、政治、経済、文化を含めた人々の進出と交流です。

日本が西洋のグレゴリオ暦を導入したのは明治六年にあたる一八七三年の一月一日でした。前年一一月九日に詔書を発布し、一二月三日から後を切り捨てて断行した改暦でした。*

*岡田芳朗『明治改暦――「時」の文明開化』(大修館書店、一九九四年)参照。

それ以来、日本では中国から導入されて伝統となっている「元号」と、太陽暦と同時期に新たに導入された「皇紀」という日本紀元との三つが併用されました。それは、神武天皇が即位したとされる前六六〇年から数えた年で、二〇二三年は紀元二六八三年という計算になります。今では、これはまったく歴史に則していないということが分かっています。日本史で前六六〇年は縄文時代にあたるからです。

現在でも日本のようにその土地や宗教の暦を併用している場所はたくさんありますが、すくなくとも国際的な政治や経済や学問の場では西暦がスタンダードになっています。先ほど述べたように、月曜から日曜までの七日間を「週」とするのは、神の創造のあと、七日目を安息日としたという聖書に依拠して西洋から世界に広まった習慣です。古代ローマでは「太陽、月、火星、水星、木星、金星、土星」という太陽系の天体に結びつけて意味が与えられました。ユダヤ教とキリスト教の教義に基づいて作られたこの七日制の単位は、おそらく労働と休息という人間の活動周期に適っていたために、広く普及したのでしょう。

日本では実は、はるか以前から「日、月、火、水、木、金、土」の七曜がありました。空海（七七四～八三五）が唐から持ち帰ったと言われていますが、元はローマから中国に伝来したキリスト教起源の習慣でした。

日本に導入された「グレゴリオ暦」は、一五八二年にローマ教皇グレゴリウス一三世（一五〇二～一五八五）が導入した新しい暦法で、従来のさまざまな不整合を直すものでしたが、まだ十分ではありませんでした。それはまずカトリック諸国が、ついで一七〇〇年以降にプロテスタント諸国が導入しましたが、ギリシア正教が導入したのは一九二三年のことでした。日本の一八七三年一月一日という導入は、それら東方キリスト教諸国より半世紀も早かったことが分かります。ただし、日本では西暦は公式の紀年法として認められておらず、神武天皇即位紀元はその後も廃止されていません。

私たちのコンピュータやインターネット、そういった情報や技術では西暦が当たり前のように用いられています。では、世界哲学を語る時間とはどうあるべきでしょうか。世界の歴史や出来事を統一的に語ろうとする以上、今のところ西暦を使うことが一番便利で、それ以外により良い手段はなさそうです。しかし、これはアラビア数字と記号を使って計算して、物の値段や株価を表記する場合ほど中立的とは言えないようです。なんといっても、キリスト教の始まりにあたるイエス・キリストの生誕を基準に、それ以前とそれ以後を計算する世界把握なのですから。

キリスト教徒以外がなぜその特定の枠組みに参加しなければならないのかと疑問を抱いたり、異議を唱えたりしたら、この統一的時間表記は使えなくなります。「時間は、どうせ相対的に測るものなのだから、どんな基準であれ一つ定めて全員で合意して使えば問題ない」と思われるかもしれません。西暦を用いて世界哲学を語る私たちも、偶然の歴史状況に縛られていることを忘れてはなりません。

キリスト生誕を紀元とする西暦が広く普及した後にも、それを排除して別の暦を使う動向もありました。例えば、フランス革命ではキリスト教の年代法に対立する合理的な「共和暦」が提案されました。一七九二年九月二二日を革命による「紀元元年元日」として、そこから革命暦何年と数えたのです。しかし、これらの散発的な企ては、広まることも長続きすることもありませんでした。すでに非西洋圏にも広まりつつあったキリスト教の西暦ほど使い勝手が良くなかったからです。

フランス革命は改暦によって「時間を支配する」ことを目指しましたが、メートル法という空間の支配がかなりの程度成功したのとは異なり、生活と習慣に根付いた一年一二カ月、一週七日の暦法を打ち破ることはできませんでした。

†世界哲学の時間

こうしてざっと見てきたように、私たちが日々用いている暦も、あらためて反省してみると、実は文化や歴史の産物であり、世界では時間の数え方、区切り方に違いが数多くあることが分かりました。それらは、どれかが絶対的に正しく、どれかが間違っているというものではありませんが、より生活に根ざしたもの、計算に便利なものなど、いくつかの基準で淘汰されてきました。また、グローバル化が進む地球上では、世界中同じ基準で生活や政治経済の営みが行われる方が便利なため、支配的な西洋の基準が用いられる傾向が強まっています。

しかし、例えば韓国ではごく最近まで「数え年」を年齢の基準にしていたり、中国などでは旧暦、つまり太陰暦で行事が行われたりしているように、文化ごとの違いはまだ数多く残っています。世界哲学を論じるにあたっても、それぞれの文化伝統の時間軸や歴史把握が尊重されるべきでしょう。共通の尺度を使って世界で統一的に時間を把握することは、個別の伝統への尊重を排除や否定するものではありませんが、前者を強く推し進め過ぎると後者は廃れてしまいます。

2 地図

†世界地図を見る

私たちがそこに生きている「世界」を、時間という方向から見てきました。次に、時間と対になる「空間」から捉えてみましょう。世界を空間から捉えるというと、この地球表面上の世界、つまり日本やアジアをその部分とする全体のことをまず考えるのが普通でしょう。そこで、小学校から学んできた「世界地図」を思い浮かべてみましょう。

日本の小中学生は、日本と太平洋が真ん中におかれた地図を見てきたはずです。上に北極、下に南極がある長方形の図のなかで、広い太平洋をはさんで右側（つまり東）に北アメリカと南アメリカの両大陸があり、日本がその端に位置しているアジアは、左側（つまり西）ではヨーロッパにまで広がっています。それがユーラシア（ヨーロッパ＋アジア）大陸で、その左端にはブリテン島があり、左下（つまり南西）はアフリカ大陸につながっています。画面の左右両端には、一つの大西洋が分かれて表されています。太平洋をはさんで日本の下側（つまり南）には、東南アジアの島嶼からオーストラリア大陸が、さらにその下

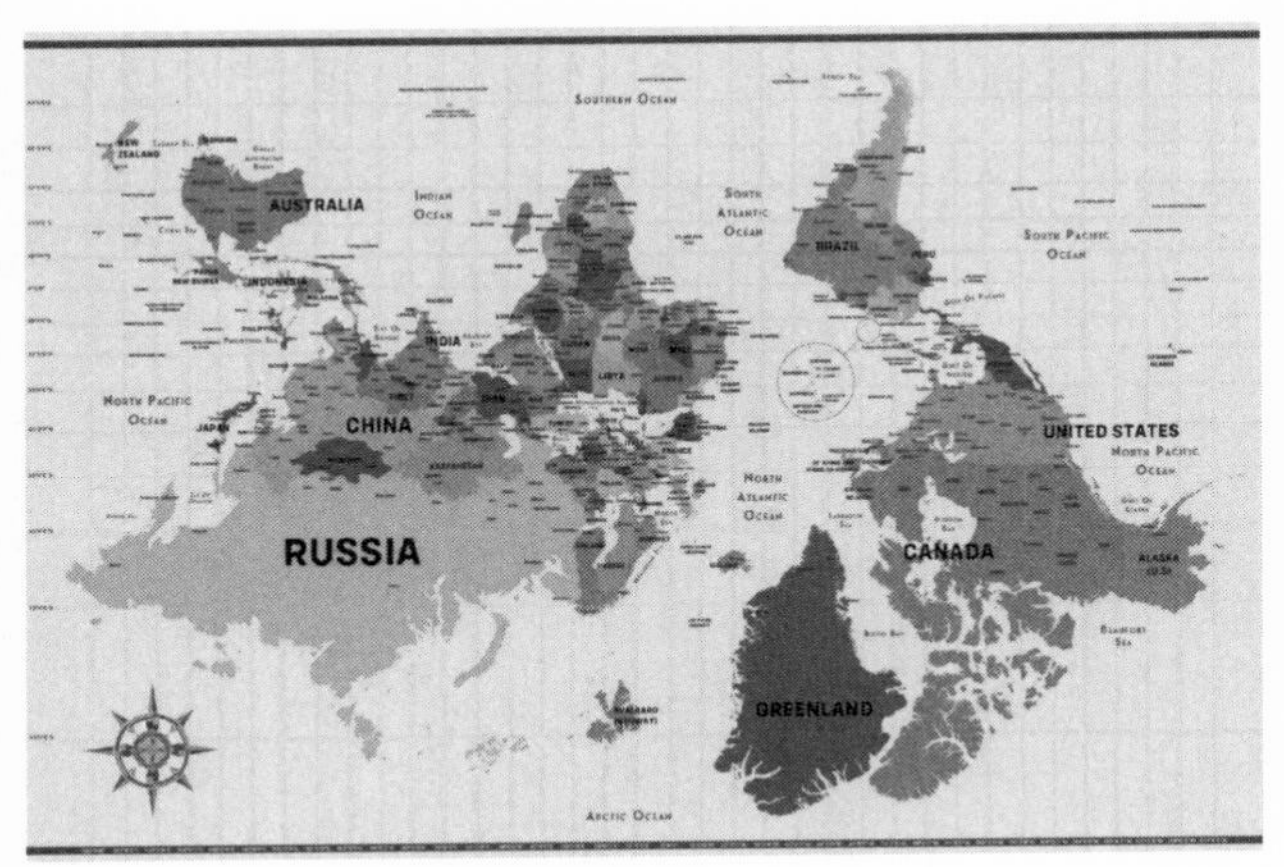

アフリカ中心で見た世界地図

には南極大陸があります。私たちはこうして、大きく六大陸を配置して世界の構図を理解しています。

　学習用の地図ではおそらく、国ごとの境界線と国名が記されていて、見やすさのために色分けされているはずです。そこに、首都や主要都市が小さな文字で記入されています。海の部分は青か水色で塗りつぶされているのではないでしょうか。地勢、例えば山脈や砂漠や海溝などが色の濃淡で示されている地図もあります。

　私たちは横長の長方形で世界の範囲をとらえ、日本が大体中央の上にくるようにおいています。これは日本で使う世界地図だからであり、ヨーロッパで見る世界地図は異なります。ヨーロッパが真ん中にあり、左（西）には大西洋をはさんで南北アメリカ大陸、右（東）にはアジアが広がっていて、その右端（極東）に日本がくっついていて、太平洋は左右の両側で分断されています。

また、アメリカ合衆国での世界地図は、長方形の中央の軸に北アメリカと南アメリカの両大陸がおかれ、左右は太平洋と大西洋をはさんで、それぞれ東アジアとヨーロッパが両方向に広がります。ここではユーラシア大陸が、インドと中国の間あたりで真っ二つに分かれています。

私たちが目にすることはほとんどありませんが、オーストラリアや南アメリカやアフリカなど南半球の国々では、上を北ではなく南にする逆さ地図が使われます（前頁の図）。一八〇度逆になるので、一見落ち着きは悪いですが、自分がいる位置を基準にして、それを上半分に置く場合は当然それが自然です。南と北は自然的には上下どちらでも同等です。

初等教育から教えられて常識化している私たちの「世界地図」は、特定の文化を反映した便宜的なもので、世界中の他の地域の人々は異なった世界地図を前提しているということを、改めて意識しましょう。

†さまざまな地図

そもそも「地図」とは何でしょうか。地図を作るという習慣は人類の歴史の早期から存在していました。何千年も前、まだ文字文化がない時代の遺跡や遺物からも、おそらく地図ではないかと思われる図や模様が出土しています。[*]

*アン・ルーニー『地図の物語』(高作自子訳、日経ナショナルジオグラフィック社、二〇一六年)参照。

古代ギリシアで最初に地図を描いたと言われるのは、ミレトスで活躍した哲学者アナクシマンドロス(前六一〇頃~前五四六頃)です。彼は地球が円筒形をしていて、その一方にある円形の平面の上に、ヨーロッパ、アジア、アフリカの三つの大陸があって大洋(オーケアノス)に囲まれていると考えました。しかし、その後のギリシア哲学者の多くは地球が球形だと推定し、プラトンやアリストテレスはそれをもとにした宇宙論を展開していました。アレクサンドリアで活躍したプトレマイオス(一〇〇頃~一七〇頃)は、地理学で世界地図を表し、その後長く用いられました。

使う人が自分中心で地図を作ることは分かりましたが、地図にどんな情報を盛り込むかにも、目的や意図が反映します。陸地が細かく分けられて国境線が明確に引かれているのは、世界が領域国家によって成り立っているという政治的理解によります。海にはほとんど情報がないのは、私たち人間が活動するのに必要な情報が優先されているからに他なりません。しかし、国際政治では海の支配圏も地図上で示されて、紛争の元になっています。

そもそも地図は地上の特定の土地に関するものだけではありません。船が航海するための「海図」もあります。さらに、宇宙の地図、つまり天体図や月の地図もあります。天体図は他の地図と違って、月や惑星や恒星がどの時期のどの時間帯にどこに見えるかという、地上に相対的な見かけの位置関係を示す図です。

また、かつては冥府への地図さえ描かれました。古代エジプトの「二本の道の書」には冥界への道が描かれ、一本は水路、もう一本は陸路で、死者の魂がオシリス神の住む冥界に辿りつく道でした（『地図の物語』六一頁）。

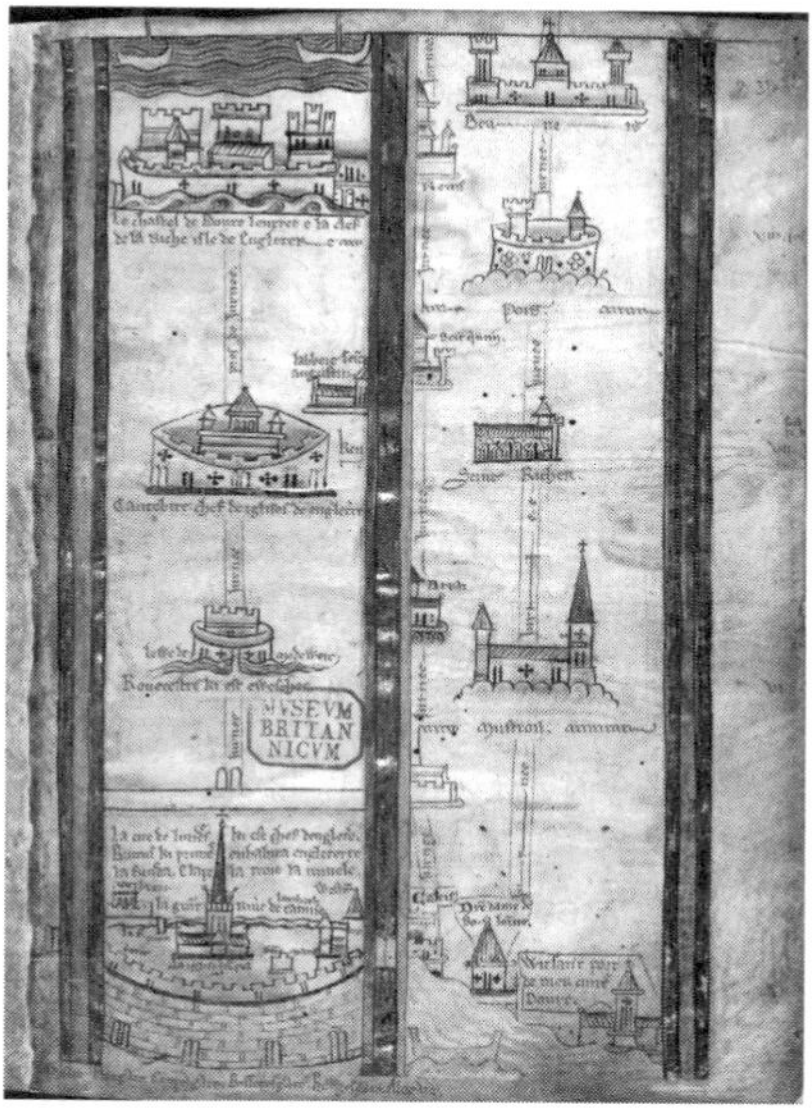

旅人が辿る地図、例えば巡礼図は、スタート地点からゴールまでの段階が描かれています。日本では「西国三十三所観音巡礼」や「四国八十八カ所遍路」などがありますが、ヨーロッパでも「イギリスからエルサレムまでの巡礼

ロンドンからエルサレムまでの巡礼図（13世紀）

図」などがあります。巡礼をする人にはガイドブックの役割を果たしたのでしょうが、実際には巡礼に行くことができない大多数の人たちに、心の中で旅を楽しみ信仰心を満たす、そんな役割があったはずです。

そういった地図は、図面上の空間的配置により、それを辿る人の経験を時間的順序や距離で表現したものです。やや拡大して言えば、「人生ゲーム」（昭和期に流行した机上ゲーム）のように、人生のステップを双六で進む図も、一種の地図だと言えるでしょう。

†地図を作る理由

では、人間は何のために地図を作るのでしょうか。

地図といっても、いろいろあります。どこかへ行くため、つまり何かを目指して移動するのに、地図を使うことが一番多いでしょう。特定の市や町の地図を使って知人を訪問したり、観光地の地図で名所をめぐったりする場合などです。それでも最近はカーナビの局所的な図面と指示に従って車を運転することや、電車やバスや徒歩の移動も携帯機器のマップで示された「経路」に従って進むことが多いようです。他方で、旅行のための経路図や、鉄道の路線図は、空間的位置や距離の正確な縮尺ではなく、簡略化したもの、記号で図式化したものになっています。

地図を使うのは移動のためばかりではありません。土地の所有権を証明する測量図や、小さな範囲では建物の図面もあります。農業や鉱工業や商業といった産業のために特化した目的で利用されることもあります。商店街や大型商業施設での店舗配置図や、水利や治水を表す河川図などです。また、布教のため、郵便のため、探検のため、さまざまな目的で地図が作られ、使われてきました。

地図は単に見て楽しむというより、実利的なものでしたから、大きな規模では政治で利用されます。世界地図上に国境線を引くことで、自国の領土を主張する機能もあります。帝国主義時代には、植民地獲得をめぐる「世界分割」さえ行われました。また、各地で起こる境界紛争では、過去の地図で問題の地域がどう描かれていたかが歴史的証拠として持ち出されることもあります。

そこまで深刻でなくても、行政上の管理の範囲を明確化する機能や、都市計画のための図面、さらに軍事利用のための自然地形や市街図も重要な役割を果たしてきました。それゆえ、秘密の重要地域はしばしば地図上に描かれず、精密な地図はスパイの対象となりました。鎖国下の江戸時代、一八二八年に起きたシーボルト事件では、国禁の機密情報を持ち出したという理由で多くの日本人が処罰されました。

地図は単に知的好奇心の問題ではなく、高度に政治的な問題を孕むこともあります。そ

れゆえ、偽の地図や歪曲した地図なども作られることになります。

†世界の地図

人間は古くから「世界」を地図にしようとしてきましたが、それは単に特定の目的のためではなく、いわば私たちが生きている場を全体として知りたい、そんな基本的な欲求に発するものです。

自分がいる世界はどうなっているのか、自分はそのどこに位置しているのか、それを可視化することで、私たちは自分自身を理解します。地図を作る（マッピング）とは、制作者の「世界」理解であり、その中にある制作者の自己理解です。それは見る者と共有する世界理解でもあります。

それゆえ、別の地図を見ることは、自分の見方とは異なる見方を手に入れることです。それによって、そこに住む自分自身も違って見えてきます。新しい地図を描くことは、その意味で、自己自身を刷新し更新することなのです。

私たちがその上に住んでいる地球は、言うまでもなく球形（正確な球ではなく、回転楕円体）です。したがって、地上の有様を縮尺して三次元で復元することはできますが、平面で表すことは原理的に不可能です。それゆえ、地図を作るという行為には二つの特徴があります。簡略化と縮小化です。

地球は楕円形であり、地上には高低や凹凸がある以上、二次元の平面図に落とし込むには技術が必要です。最近ではヴァーチャル・リアリティやメタバースで三次元に見える世界を作ることもできますが、伝統的な地図は平面です。それも、対象を広く見渡せる視点から、できるだけ偏りのないように見えることが求められます。

具体的には、地上の様子を垂直に上方から俯瞰するわけですが、視点が一箇所だとすると、真下を中心にして距離が離れるに従って角度がついて平面上は広く現れてしまいます。そのため、上方からその都度つねに垂直に見下ろすような面をなす視点、いわば神の視点を想定します。このかなり恣意的な表現法を、私たちは当然のように受け入れて地図を見ているわけです。

それは「地図投影法」と呼ばれるものです。地球の球面は、長さ、角度、面積などで幾何学的性質を保ったままで平面上に表すことができず、何らかのひずみ、歪（ゆが）みが生じます。特定の性質を保存したり、ひずみが大きくならないように調整したりしたものが学術的な地図なのです。* 投影法は無数にありますが、主なものは三六ほどで、私たちに馴染みのものはメルカトル図法です。フランドル（現ベルギー）の地理学者メルカトル（一五一二〜一五九四）が一五六九年に発表した投影法です。

＊政春尋志『地図投影法』（朝倉書店、二〇一一年）参照。

地図のもう一つの特徴は、縮小化です。微小の対象を拡大して図示するのとは反対に、地球や地域は何分の一という尺度によって、比例で縮小して表現するわけです。アルゼンチンの小説家ボルヘス（一八九九～一九八六）は、たった一章からなる超短編小説『学問の厳密さについて』（一九四六年）で、それに描かれている土地と同じ縮尺を持つ地図、その結末について淡々と述べました。地図はある対象の表象として、それを取り扱う抽象が利点ですが、同じ大きさで同じ精度を持つ地図があったとしても、それは元の対象を二重にしただけで、何の役割も果たさないのです。

私たちの世界把握とはどのようなものか。それは、こうした地図を作る人間の営為から見えてきます。

3　世界という眺望

†今、ここの限定を超えて

時間と空間という世界の視座として暦と地図を見てきましたが、私たちが生きる現場で、それらは最初から問題になっているわけではありません。私にとって、こうして考えながら文章を書いているのは、まさにこの今であり、私がいる自宅のこの書斎です。それを時刻や年表、あるいは地図や図面という尺度に戻して、どこにいるのかと考えるのは、生の現実とは別の、やや抽象的な思考なのです。

私たちが生きている「世界」は、空間でも時間でも一挙には捉えられません。しかし、その中で、私たちがどこに位置するのか、「今」が何時なのかという問いは、古代から続く哲学的な考察の原点にあります。世界で哲学をすることはその問いの探求であり、それを知るには世界という地平の拡大、新たな視野の融合が必要です。

私たちはいつも特定の位置に立ち、そこから世界を眺めています。しかも、目という身体器官では顔に対して正面しか見えません。片目では、水平方向で耳側に約九〇度から一〇〇度、上下方向では上側で約六〇度、下側で約七〇度くらいが視野だと言われています。つまり、両目で見えるのは、左右上下で身体前面の半分ほどなのです。

しかし、私たちは目で見るだけでなく、耳で音を聞いたり、鼻で匂いを嗅いだり、空気や物を肌で感じて身体全体で前後左右上下を把握します。さらに、頭を動かして視野をずらしたり、身体そのものを移動させることで、見えたり聞こえたりする範囲を変えて、徐々に広げることができます。私が経験するのが、この身体と外部との間で成立する「現れ」だとすると、私はその現れを拡張し統合することで、一つの世界を動的に経験するのです。しかし、それが「世界」であるとは、どういうことでしょうか。

一時に知覚できる範囲はごく限られていて、そこでの現れが一面的であっても、私は私自身の身体の動きと心による総合によって、より大きな世界を見ていきます。「今」のこの経験は、それに先立つ過去からの連続的な出来事の記憶に基づき、これから起きると予想される出来事への期待に広がっています。それは空間に限定された私の身体を超えて、長い時間にわたって可能性を開いていく、私自身の生のあり方です。

そして、私の経験はけっして「私」というこの一人の人間だけのものではありません。私が理解する世界のあり方は、過去において多くの人間が経験して表現してきた事柄を他の人々と共有することで成り立っています。私はその都度まったく新しく自分で何かを体験するのではなく、一定の方式の言説化をいわば追体験しつつ自分の体験としています。見知らぬ物や人や風景に出会う場合ですら、その一度きりで初めての体験をすでに「見知らぬものとの出会い」という枠組みにおいて、それを叙述する仕方を共有することで遂行し確認するのです。

そのなかで、私たちはそこに独自の意味を見出したり、定型から外れる新鮮な思いを抱いたりして、世界を生きているのです。「世界」には、そこで一緒に生きる他人や他の事物が含まれており、さらにそれらが存在するからこそ私の経験と「世界」が成立するのです。

現世の同時性

「世界」という漢語は仏教に由来すると言われています。仏教では宇宙の区域を「世界」と呼び、「三千大千（さんぜんだいせん）世界」とか「娑婆（しゃば）世界」といった表現があります。さらに、「世」とは時代を表す時間的な概念で、「世代」とか「隔世」という表現にそれが見られます。とすると、「世界」の哲学とは、単に空間的に拡大した地球や宇宙でなく、現在から過去と未来に続く、時間の広がりも含むものだと思われます。

　その中で興味深いのは、空間的な視点が「私」の身体とその動きに限定される個別に唯一のパースペクティブであるのに対して、時間的な視点が「今」という、私だけでなく現在を生きるすべての人に共有されている点です。「同時性」あるいは「同時代性」は、私たちが生きる基本場面ですが、高度に哲学的な問題でもあります。

　それぞれが経験する「今」は、異なる意味を持ちながら、一つの同じものです。そして、同じ「今」を経験している人々が同時代の経験を持ち、それが「世」を作っていきます。一昔前の「世」は、その時代の人たちの記憶や言説から想像したり再現したりします。これから起こる将来の「世」については、私たちは予測し、期待して心に描いたり言説で示したりします。しかし、過去も未来もそれが生起しているのは、この「今」という世です。世界は時間的な重層構造にありますが、それを結びつける視点は、やはり私たちが生きているこの現世、その同時性にあるのです。

†人新世という時代

私たち人類が生きてきてこれから生きていく時間については、まずは宇宙が誕生してから今日にいたる、一三八億年の歴史のスパンで考えなければなりません。人の一生がおよそ一〇〇年だとして、その一億三八〇〇万回にあたります。「天文学的数字」と言いますが、私たち人類も地球も天文学が捉える宇宙の一部なのです。

天体の運行など自然界の時間を測る物差しとして、暦を拡張してユリウス通日（つうじつ）という暦が使われることもありました。西暦のなかで、現在普及しているグレゴリオ暦の前に使われていたユリウス暦を修正して作られたものです。それは、ユリウス暦紀元前四七一三年一月一日から換算して通算の日数で表示するもので、通常のユリウス暦とはまったく異なった、いわば、天文学のための暦です。ユリウス通日はフランス人学者でオランダで活躍したスカリゲル（一五四〇〜一六〇九）が一五八三年に考案したもので、ちょうど導入される予定だったグレゴリオ暦による通算年代の混乱を避けるためでした。

近年は「人新世(じんしんせい)（「ひとしんせい」とも）」と呼ばれる地質年代を考える必要があります。「人新世（アントロ－ポセン）」とは一九八〇年代に作られたとされる造語で、地球の地質年代の一つに加えるべきだと提案されている用語です。地質年代とは、中生代のジュラ期・白亜紀や新生代の第四期のように、約四六億年前に誕生した地球の過去を、地層に残された痕跡から区分けした時代名です。堆積物や火山噴出物や生物化石などで、その時代の生態や自然環境が分かるのです。

その最新期は、人類が地球上に大きな影響を与えて生態や遺物に痕跡を残しているという意味で「人新世」と呼ばれます。具体的には、地球温暖化などの環境・気候の変動や、人間以外の生き物の大量絶滅による生物多様性の喪失、プラスチックなど人工物質の拡散と堆積、石油や石炭などの化石燃料の燃焼、核実験などの汚染物質の堆積など、人類の活動が原因となって地球上の地層に刻まれた痕跡です。

私たちが生きている時代は、けっして均質に続く時間の流れではなく、それぞれに異なる特徴を示す「世」が積み重なった「世界」です。その尺度は、天文学から地質学、そして歴史へと連続していますが、そこには人間の生の営みが刻み込まれています。

†人類と地球の未来

こうして私たち人類が生きる世界をどう見るか、それを規定する時間枠組みとは何かを見てきたのは、現在私たちが直面する地球規模での危機において「持続可能性（サステイナビリティ）」が問題になっているからです。二〇二三年に地上では、人類が八〇億人を超えたと推定されています。

しかし、私たちは「持続」ということで、一体どれほどの長さを考えているのでしょうか。二〇年後、五〇年後でしょうか。もし八〇年後や一世紀後と言われたら、あまりリアリティは感じられないかもしれません。では、一〇〇〇年後はどうでしょう。

私たちが属する新人類、あるいは現生人類が地球上に登場したのは、およそ二〇万年前と言われています。当初は共存していたネアンデルタール人ら旧人類はやがて絶滅しました。人類という生物も他のあらゆる生き物と同様にやがて衰退して死滅します。その前に、生物進化によって別種と見なされる生物に変わるかもしれません。しかし、たとえかなり長く存続したとしても、地球自体の環境変化や太陽との関係、小惑星等の衝突によっていずれ重大な変化が起きることでしょう。それさえ生き延びたとしても、太陽はやがて寿命を迎えて太陽系も死滅します。

それまでに人類が火星に移住するとか、太陽系からも脱出するとか、夢を掲げて科学技術に資金を注ぎ込むのは結構ですが、そうしても人類が存続することは不可能でしょうし、一部が多少長く生き残ったとしても、やがて必ず死滅します。それをまず冷静に認めた上で、これからの歴史を語るべきでしょう。

宇宙が生まれてから一三八億年と言われていますが、ビックバンでこの一つの宇宙が生まれた以外に、無数の宇宙があり、これらを含む世界が広がっているとも想定されます。この時空が生まれて宇宙が拡張してきたと語られるのは、それを前提にしてのことです。こうした「時間」が像（イメージ）であるところのその原型、すなわち「永遠」がこの世界の彼方にあると、プラトンはイデア論で語り、その後の多くの哲学者がその考えを批判的に受け継いできました。永遠とは、時間が遥か無限に続くことではなく、時間の流れを超えた別の次元の全体性です。それを志向し、言葉で語っていくのが哲学の営みです。

私たちは「永遠」の像の一部である「今」を生きており、これからの未来、しばらくの間は生を持続します。その生を考える責任が、哲学にあります。今も膨張を続ける宇宙の中、銀河系の端にある太陽系の第三惑星、地球に今共に生きる人類、その視点から世界哲学を考え、進める必要があります。それが、この時間を超えて永遠を思考すること、この空間を超えて無限を志向すること、そういった相のもとで世界を眺めることが世界哲学の仕事です。

「世界」という眺望を持つことで、私たちにはどのような哲学が可能になるのでしょうか。そして、私たちはどのような哲学を行うべきでしょうか。それを考え実践することが、今、ここに生きる私たちに課せられた世界哲学の試みです。

第3章 世界哲学を語る言語

1 翻訳のディレンマ

†世界の多言語性

世界哲学を進めるにあたり直面する事柄に、どの言語を使うか、という問題があります。世界中で話される多数の言語がそれぞれ独自の文化や伝統を持つとすると、その数だけ哲学の言語が存在することになります。では、世界哲学はそれらの言語をどう用いるのでしょうか。

世界では、数え方によりますが、三千から七千におよぶ数の言語があると言われています。「数え方による」と言うのは、独立の言語とするか方言として扱うかなど、区別の基準が難しいためです。その半数近くが話者の減少で消滅の危機に瀕していると言われ、少数の主要言語が広範囲で共通に用いられる傾向が強まっています。

母語とする人口で言えば、一番多いのは北京語、次いでスペイン語で、英語、ヒンディー語の順に続きます。主に特定の地域や国で話されるのか、広くさまざまな国で話されているのかによっても、特徴が異なります。スペイン語や英語やフランス語などが多くの国で話されるのは、過去の植民地支配の名残りです。世界中で一番通用する言語は、予想されるように英語です。日本語も世界では十位代の前半にランクインしていますが、話者は日本の人口にほぼ対応します。つまり、日本語は日本という地理的範囲で話されている主要言語なのです。

世界哲学が異なる多くの哲学の間で展開される以上、それら異なる言語をまたいで議論や考察を行うためには、翻訳が必要になります。世界にこれだけ多数の言語があり、母国語を越えるのが容易でないことは、『旧約聖書』にある「バベルの塔」の物語が示しています。人々が異なる言語を話すことは人類の宿命であるとともに、今日まで大きな分断を生む原因となってきました。

言語には政治的な優劣が反映し、支配者の言語を使う人が社会では優越した地位や活動や配分に与るという格差を生んでいます。植民地などでは被支配者の言語が抑圧され、支配者の言語使用が強制されることがしばしばあります。言語は文化と伝統の基盤であり、したがって、言語の多元性が尊重されないと文化抑圧や破壊につながります。

異なる言語の間をつなぐのが通訳であり、翻訳ですが、通常それは特殊な技能と訓練を必要とする営みです。また、現代の日本では初等教育から英語を学んでいますので、ほとんどの人が多少なりとも会話や意思疎通を行えますが、それ以外の外国語となると限られた人でしか対応できないはずです。しかし、世界哲学では英語だけでなく、どんな言語でも主体になり対象になります。

世界哲学における翻訳の問題については、『世界哲学史』第2巻第1章と別巻I第4章「世界哲学のスタイルと実践」で触れましたが、それは世界哲学を考える上でもっとも大切な問題の一つです。また、『未来哲学』第五号（未来哲学研究所、二〇二二年）では「世界哲学における翻訳の問題」という特集を組んで集中的に議論しています。*

＊インド仏教が専門の護山真也「「色即是空」のアポリア」、イスラーム哲学が専門の小村優太「アラビア哲学と翻訳」、アメリカ哲学が専門の齋藤直子「翻訳としての哲学」、そしてチェコ文学を研究する阿部賢一「文芸翻訳とパラテクスト」の論考と総合討論が含まれる。

†国際学会で使う言語

学問の世界で言語の問題はどうなっているのか、簡単に紹介します。自然科学や技術の分野では、今ではほぼ世界中で英語が使われていて、それを習得すれば共通語として通用するようです。数学や論理の記号の延長として、英語を用いて研究成果を共有することが効率的なのでしょう。しかし、これとて常にそうだったわけではなく、かつて医学ではドイツ語が主に使われ、二〇世紀後半はソビエト連邦の科学技術の水準の高さゆえ、ロシア語が多く学習されていました。

自然科学の英語一元主義とは異なり、人文学や社会科学では学問領域によっては多言語状況が続いています。かつてフランス語は外交の言語でしたし、美術や音楽ではドイツ語やイタリア語も重要です。東アジアでは中国語が広く使われていて、当然学問の世界でもその優位が見られます。日本文化の研究にはやはり日本語が主役で、その分野ではアジアの研究者も欧米の研究者も、日本語に堪能でそれを使いこなして議論をしています。

人文学では対象の違いによって現在でも多言語状況が維持されていますが、一例として、私が所属している国際プラトン学会の例を見てみましょう。一九八九年に設立され、世界中でプラトン哲学を研究する五〇〇名ほどの研究者や学生が会員となっている国際学会です。三年に一回、世界各地に持ち回りで研究大会「プラトン・シンポジウム」を開催しており、二〇一〇年には東京・慶應義塾大学で第九回大会を開きました。

国際プラトン学会では創設以来、英語、フランス語、ドイツ語、イタリア語、スペイン語の五カ国語が公用語とされていて、学会発表や論文執筆はそれらの言語を使うことになっています。これは、歴史的に古典哲学の研究が盛んだった欧米諸国の言語構成になっていて、これに一九世紀までの共通言語だったラテン語を加えると、私たち研究者が参照する研究文献のほとんどがカバーされます。

あえて言えば、古典ギリシア語で書かれた著書の研究において、その子孫である現代ギリシア語が入っていないのが不思議に感じられるかもしれません。アテネ大学など、ギリシアの大学でもギリシア哲学は研究されており、そこでは現代ギリシア語で論文や書物が公刊されていますが、研究の中心地がフランスやドイツやイギリスやアメリカであった近現代に、ギリシア本国は学問の世界では遅れをとってしまったのです。

五カ国語が公用語だということは、例えば、イタリア語での発表に対してフランス語で質問するとか、ドイツ語に対してスペイン語でコメントするとか、そういうことも時々起こります。私が初めて学会発表した一九九五年のスペイン・グラナダ大会では、私の英語での発表にギリシア人女性の先生がフランス語で司会とコメントをしました。専門的なやりとりですから大体の内容は分かりますが、どうしても難しい場合は会場にいる仲間に手伝ってもらい、通訳や要約をしてもらいます。それは恥ずかしいことではありません。

とはいえ、とりわけ二一世紀に入ってからは英語への一極集中が顕著に進んでいて、二〇二二年にアメリカ・ジョージア大学で開催された大会を見ると、一一五本の研究発表のうち英語は九五本、イタリア語一六本、スペイン語九本、フランス語三本、ドイツ語二本となっていました。これは出身地分布を反映したものではなく、英米圏以外の多くの地域の研究者が英語を使っていたことを意味します。イタリア人は古典哲学では世界で非常に活躍していて自国語への意識が高いため、一定数がイタリア語で発表されています。しかし、残念ながらそういった非英語での発表では、聴衆が少なくなりがちですし、質疑応答は英語でということもしばしばです。

ヨーロッパではこのように一定程度は多言語主義を維持していますが、日本からの参加者はほぼ一〇〇パーセント英語での発表となっています。また、「多言語」と言いながら結局は一部の主要欧米語に限られる「公用語」制度に対して、違和感を持つ人もいます。実際、五カ国語という多元性はあまりうまく機能していませんし、英語以外に対応する能力の不足は、特に日本など非欧米圏の者にとってはハードルを高めてしまっています。

プラトンに限りませんが、哲学の研究や発表を国際的な場でどの言語で行うかというのは、大きな問題となります。英語をはじめとする一部の欧米語以外で行われている研究は、その言語地域以外ではほとんど知られることはありません。

一例を挙げると、東ヨーロッパのポーランドでは一九世紀初めからプラトン哲学が議論され対話篇が翻訳されて、ポーランド独自のプラトン研究が培われてきました。しかし、その中で国際的に知られたプラトン哲学の研究文献は、W・ルートラフスキー（一八六三〜一九五四）が一八九七年に英語で公刊した『プラトン論理学の起源と発展、及びプラトンの文体と著作年代の説明』という本に限られています。* 同じヨーロッパでも、言語と文化の壁は厚いようです。

* Tomasz Mróz, *Plato in Poland 1800-1950: Types of Reception—Authors—Problems*, Academia Verlag, 2021 と私の書評（『西洋古典学研究』七〇号、二〇二二年）参照。

日本で行われている哲学の議論や研究も同様です。自然科学のように、英語が一番通用しているからそれで統一しよう、というわけにはいきません。それは、使い勝手の便宜だけではなく、どの言語で議論するかによって議論の仕方も内容も大きく異なってくるからです。どんな哲学や思想でも言語に依拠していて、それを別言語に翻訳することは、いわばまったく新しいものに作り変えるに等しい作業となってしまうのです。

†哲学における翻訳の困難

英語を共通に使うとしても、例えば私たちなら日本語で議論し論文を書いていて、それとの間で翻訳する必要があります。これはフランス語やドイツ語の話者でも、中国や韓国やイランで研究する人でも同じです。そもそもギリシア哲学を学ぶ者は、古典ギリシア語と自国語、それに英語などの間で多重の翻訳作業が日常的に行われているのです。

しかし、とりわけ哲学において「翻訳」の問題は重要です。異なる言語枠組みを超えることができないという相対主義の文脈で「翻訳不可能性」が論じられることさえあります。無論、古代から現代まで哲学の言説はつねにあらゆる言語の間で翻訳されてきたので、「不可能」というのは事実上の行為不能性を表すものではありません。抽象的で原理的な問題として、あるいは、厳密に考えると不十分という意味での議論でしょう。

他の分野にまして哲学において、とりわけ翻訳が困難、あるいは不可能と思われるいくつかの理由があります。まず何より、事物を指す言葉ではなく、哲学は「概念」を扱います。目に見えない理念を表す言葉が、文化や時代によって大きく異なること、それらをまたいで理解を進めることの困難さは、容易に想像がつきます。

哲学者は往々にして新しい概念を作り出しますが、哲学概念として使われる言葉の多くは日常語からの転用です。例えば「問題 problem」とはアリストテレスが用いた「前に投げ出されているもの、提示されたこと」を意味する「プロブレーマ」というギリシア語です。「概念 concept」や「方法 method」や「人権 human right」などの言葉もある時点で導入された哲学用語であって、文化的背景を色濃く帯びることになります。日本語ではカタカナという音写でそのまま伝えれば問題は少ないのですが、自国語で考えようとすると、問題は途端に大きくなります。

さらに、哲学概念は個別の単語ではなく、関連する語彙や文脈と一緒に働きます。「理性、知性、悟性、知覚、感覚、感情」といった諸概念は、互いの区別において意味が決まります。それは時代によって、哲学者によって異なる意味規定が与えられるものです。さらに、異なる言語や文化が交流すると、異言語の哲学概念を取り入れて翻訳したり造語したりするケースが増え、状況はより複雑化します。

多くの思想の間で伝達や議論のために翻訳が行われると、その間では必ず相違やズレが生じます。異言語の間だけでなく、同じ言語でも時代や地域によって使い方が異なることがあります。さらには、個々の哲学者によっても独自の言語使用があり、それをパラフレイズしたり説明したりする作業が一種の翻訳のように必要となるのです。

できるだけ同一性を維持したうえで異なる媒体に移すことが目指されているとしたら、ズレは極力避けられるべきです。しかし、哲学においてはズレを積極的に活かすことがあります。それは、そもそも哲学が、言語において遂行されることの限界、その突破に関わるからです。一つの言語表現が哲学的な事柄を完全に言い表すことはありません。哲学の言語はむしろその状況を揺るがし、言語によって固定することを避けつつ、言いたいこと、言うべきことに可能な限り迫るために、あえて翻訳におけるズレを活用するのです。そのようにして、翻訳を通じて思索は新たな生命を宿し、別の言語と文化に根付いていきます。

そういった世界哲学における翻訳の問題は、真理・普遍性という視点から考察されます。世界哲学とは単に多様な哲学伝統を並べて見ることではなく、それらの間のダイナミックな交流や対決、統合や分裂のなかに哲学の活力を確認する作業だからです。翻訳の重要性が再認識されるべきです。

†哲学する言語

哲学はこれまで、どの言語で哲学するか、という問題にほとんど向き合ってきませんでした。「哲学は普遍的な営みだから、どの言語でも変わりはない」という考えが潜在的にあったからだと考えられます。「自然言語には欠陥があり曖昧さや多義性は避けられないのだから、理想的には論理学だけで議論する」、あるいは「普遍言語を作ればよいではないか」、そういう発想もありました。しかし、実際には、どの言語で哲学するかという問題は厳然と存在し、しかも、非常に重要な課題となっています。

「哲学（フィロソフィー）」と呼ばれる学問分野は、古代ギリシアを起源とし中世から近世にかけて、ヨーロッパの大学で教えられ研究されました。それは、当時の学問共通語であったラテン語で行われていましたが、一七世紀以後には各国語でも著作や論文が公刊されるようになります。デカルトは一六三七年刊の『方法序説』をフランス語で著しましたが、主著『省察』は一六四一年にラテン語で出しました。スピノザはオランダ人でしたが、ごく一部の著作を除いてラテン語で書きました。イギリスではフランシス・ベーコンやホッブズ（一五八八～一六七九）がラテン語と英語の両方で書きましたが、ジョン・ロック（一六三二～一七〇四）はより多くを英語で書いています。著述は読者を意識するものであり、時代ごとに使用言語が変わるのはそうした時代背景に応じたものです。

哲学や人文学がラテン語を中心とした状況は一九世紀にも続きますが、その後はドイツ語やフランス語が優位となり、二〇世紀には英語が一気に主流になりました。すでに見たように、現在では哲学でも英語の一元的支配（グローバル化）が進んでいます。

同じ言語でも、時代を越えると翻訳が必要になります。私たち現代の日本人にとって、江戸期以前の日本語をそのまま読むことは困難であり、現代語に訳して説明する必要があります。明治期の文章でもきわめて難解なものが多く、かえって古文の方が分かりやすいと感じる場合もあります。現代語に訳す場合、例えば道元（一二〇〇～一二五三）でも本居宣長（一七三〇～一八〇一）でも、その説明は現代の哲学用語、西洋哲学に由来する概念を用いて整理することになります。それも一種の翻訳です。

多元的な言語状況は混乱や不便さも生んできました。そこで、普遍的な哲学言語は可能か、という問いも追究されました。あるいは、数式のように論理学は記号だけで遂行できるので、自然言語から独立ではないか、という見方もあります。

また、自然言語の間に、哲学の言語として違いはあるのでしょうか。かつては、「フィロソフィアー」発祥の地である古典ギリシア語が特権的に哲学に向いた言語だというイメージが共有され、近代ではドイツ語が厳密な論理的思考に相応しい哲学的言語だという主張もなされました。反対に、日本語は情緒的で曖昧なので、非論理的であって哲学には向かない、といった見方も提出されてきました。しかし、日本語が「非論理的、非哲学的」という見方にはまったく根拠がありません。*

*日本語の論理性については、飯田隆『日本語と論理』（NHK出版新書、二〇一九年）参照。

†世界哲学の言語のディレンマ

哲学を行う営みとそれを遂行する言語は相即不可分です。哲学の言語は文化と伝統が長年培ってきた自然言語からの発展型であり、個別言語との関係をしっかり考慮することなしには豊かな哲学を生み出せません。世界で行われる各哲学は、その言語と文化の歴史の上で初めて独自性を発揮するのです。

しかし、世界哲学は全世界共通の場で対話するにあたり、「言語のディレンマ」を抱えることになります。それは、世界哲学がより多くの、より広い範囲の哲学伝統を対象とすればするほど、かえって言語の多様性が損なわれ、共通語としての英語への依存度が高まる、という構造上の矛盾です。

この状況は、国際学会での言語の問題としてすでに見ました。国際的な哲学研究では、英語での論文執筆や研究発表が前提となっていて、例えば日本語でいくら優れた成果を発表しても、ほぼ無視されてしまいます。ここには学問の世界での影響力の違いもありますが、学会や学術雑誌を主催する場での実践的制約も大きいようです。つまり、マイナーな言語で発表しても聴衆や読者がいないので、結局は英語でないと評価が得られず、本や雑誌も売れないという構造です。

英語一元化はすでに自然科学・技術や経済の分野では進んでいて、「グローバルとは英語を使うことである」かのような神話が確立しています。これには世界中の人に共通の場を提供するというメリットもありますが、反面で多くのデメリットも指摘されています。

例えば、非英語圏で哲学する人たちは、英語的な思考とそのアカデミックな枠組みに強制的に加入させられます。自文化や自国語のレトリックや論理を駆使しても、それはほとんど通用しないため、英語の学問世界のスタンダードに合わせざるを得ないのです。そうすると、フランス・パリのソルボンヌ大学やドイツ・ベルリンのフンボルト大学での研究より、イギリスのケンブリッジ大学やオクスフォード大学、アメリカ合衆国のハーバード大学やプリンストン大学やスタンフォード大学の研究がはるかに高い評価を受けることになります。当然、世界中の研究者や学生が後者の仕組みを学び、その基準に従った研究活動に従事することになるのです。これは、多様性や独自性への重大な侵害であり、豊かな思考を阻害する平板化です。しかも、こういった一元化がドイツやフランスや日本の研究者によって自主的、積極的に進められることが、問題をより深刻にしています。

「言語のディレンマ」が突きつける問題は、より多くの哲学伝統を取り込んで対話しようとすればするほど、英語という共通の場が必要となり、英語の一元的支配、グローバル化が進行するという状況であり、他の諸言語での哲学の衰退です。つまり、多様性追求と一元化のディレンマなのです。世界哲学というプロジェクトはその陥穽（かんせい）をできる限り避け、世界哲学の多言語スタイルを生かす場や手段を模索することになります。そんな英語一元性をもたらした政治や経済や文化の状況一般も、今や深刻に反省すべき時期にあります。

　他方で、多くの人が用いる共通語としての「英語」について、それが一枚岩でないという指摘もあります*。英語といってもイギリス英語とアメリカ英語、さらにオーストラリアやシンガポールの英語ではかなりの違いがあります。また、英語を第二外国語として用いる人々の間でも、オランダ語やドイツ語やフランス語といった隣接言語の話者が英語を用いる場合は、それほど大きなギャップは感じないかもしれませんが、中国語や日本語など別系統の言語、異なる書記体系を用いる言語圏の人々にとっての英語は、また違う意味を持っています。

＊前出『未来哲学』第五号での齋藤直子の論考を参照。

同じ国際学会で英語をしゃべっていても、それを自国語のように使いこなす人と、完全に他国語として使う人とでは大きな違いがあります。英語一元化といっても、その中に複雑な言語事情や力関係が生じている点も見逃せません。また、英語が単一には扱えないと指摘しても、英語一極化という問題が解消するわけではありません。

2　三世界のリングワ・フランカ

†哲学のリングワ・フランカ

政治や経済の世界では、その時代にもっとも影響力のある言語が「共通語」の地位を獲得し、いわば「リングワ・フランカ」として広い範囲で通用します。「リングワ・フランカ lingua franca」とは「フランク王国の言語」という意味で、近世に東地中海の地域で公用語として通用していた混成語を指します。その後、異なる母国語を持つ人々が通商や政治で用いる「橋渡しの言語」がそう呼ばれるようになりました。

大英帝国が世界各地に植民地を拡げ、アメリカ合衆国がそれに続いて全世界的な影響力を振るってから後、リングワ・フランカの地位は現在、間違いなく英語にあります。しかし、政治・経済の共通語と文化の共通語は必ずしも同一ではなく、とりわけ特定の文化領域では共通に使う言語が別に定まっている場合もあります。では、哲学については歴史的にどうなっていたのでしょうか。

リングワ・フランカとしては、現代では英語の他にアラビア語があり、イスラーム教の文化圏が宗教上の理由で共有する言語です。* 近代ではフランス語やドイツ語が学問の世界で広く用いられましたが、地理的にはスペイン語や北京語の汎用性が高いです。

＊宗教としてのイスラーム教を軸に「イスラーム哲学」を語る場合、シリア語やトルコ語、さらに南・東南アジアの諸言語も入ります。他方で「アラビア哲学」という呼称を用いる場合、アラビア語で論じられたイスラーム以外の哲学も入ります。

ここでは古代から中世にかけてリングワ・フランカの役割を果たした三つの文化圏の言語を見ましょう。地中海世界における古典ギリシア語とラテン語、インドから東南アジアで用いられたサンスクリット語とパーリ語、そして東アジアの共通言語であった中国語の書き言葉、つまり漢文です。

†ギリシア語からラテン語へ

古代の地中海世界において、最初に成立した哲学のリングワ・フランカは古典ギリシア語、そのなかでもアッティカ方言でした。ギリシア語はヨーロッパ北部からバルカン半島に南下してきたギリシア人が話していたインド・ヨーロッパ語族へレニック語派の言語で、イオニア、ドーリス、アイオリス、アッティカといった方言がありました。

フェニキア文字を改良して表音文字として体系化した「ギリシア語アルファベット」は紀元前一〇世紀頃から使われ始め、碑文など記録に用いられました。最初の二つの文字、アルファとベータからこう呼ばれています。

ギリシア語が文化の言語として確立したのは、ホメロス『イリアス』『オデュッセイア』やヘシオドス『神統記』『仕事と日』といった叙事詩が誕生した前七〇〇年頃です。それらは口承文化で成立して伝えられた文学作品で、ギリシア人のアイデンティティを形作りました。

ギリシア語が科学と哲学の言語になったのは、前六世紀初めにイオニア地方（トルコ西部の地中海沿岸）で「哲学（フィロソフィアー）」と呼ばれる知的運動が起こったからで、アナクシマンドロス以来、散文の論文形式で言論が書かれ流布しました。天文学や数学や医学、さらに政治理論や倫理学や文芸論などにもギリシア語の専門用語が造られ、議論を通じて共有されていきます。こうして整った哲学概念や科学用語の語彙は、ヘレニズム期に西アジアから北アフリカ、さらにローマへと広まり、学術の共通語としての地位を確立します。

ギリシアの哲学が後進の都市国家ローマに紹介されたのは、前一五五年のことです。外交使節として送られた三人の哲学者が元老院で講演を行い、ラテン語に通訳されてローマの人々に大きな印象を与えました。とりわけ、当時懐疑主義の拠点であった学園アカデメイアの学頭カルネアデス（前二一四〜前一二九）は、二日にわたる講義のうち、初日は正義を称賛する演説をし、二日目には正義を批判しそれを行うのは愚かだと論じました。ローマの貴族たちは衝撃を受け、その後ギリシア哲学への反発と、それにも益して強烈な愛好が拡がります。地中海世界で政治力を失っていたギリシア、その中心地だったポリス・アテナイは、文化の高さを誇ることでローマに影響を与えようとしたのです。その中心に哲学がありました。

前七九年には、若きキケロ（前一〇六〜前四三）がアテナイに留学して哲学を学びました。彼はその後、ストア派やエピクロス派や懐疑派の議論をラテン語で紹介する著述活動に打ち込み、多くのギリシア語の専門用語をラテン語に移しました。「自然 natura」や「蓋然的 probabilis」「義務 officium」などで、その後ヨーロッパ諸言語に受け継がれます。キケロの同時代にはルクレティウス（前九五頃～前五五頃）も『物の本性について』で、エピクロス哲学を見事なラテン語韻文に移しました。

哲学の言語であったギリシア語をこうしてラテン語にする努力はさらに数世紀続きますが、哲学を遂行する言語としてのギリシア語は、ローマ帝国でも用いられ続けました。五賢帝にも数えられるマルクス・アウレリウス（一二一～一八〇）は『自省録』と呼ばれる哲学的覚書を、ギリシア語で遺しました。ストア派のエピクテトス（五五頃～一三五頃）の言行録、セクストス・エンペイリコス（一六〇頃～二一〇頃）の懐疑主義の著作、医師ガレノス（一二九頃～二〇〇頃）による医学・哲学文献、さらにローマの人々の伝記も含むプルタルコス（プルターク、四六頃～一二七頃）の全ての著作はギリシア語で書かれています。ローマ帝国の時代でも、哲学や科学の言語はギリシア語だと強く信じられていました。

その状況を典型的に示すのは『新約聖書』です。紀元前後にパレスティナのナザレに生まれたイエスが生前に語った教えは、弟子たちによる『福音書』やパウロ（前五頃～後六五頃）の『書簡』として、「コイネー」と呼ばれる共通のギリシア語で書かれました。それらはキリスト教正典として編集されて『新約聖書』となり、今日に受け継がれています。

ギリシア語を解さなかったはずのイエスが、ローマの政治支配下にあったパレスティナで展開した教えがギリシア語として残され、地中海世界に広まったことは象徴的です。*

＊加藤隆『新約聖書はなぜギリシア語で書かれたか』（大修館書店、一九九九年）参照。

ここで付け加えておくと、ユダヤ教の経典『旧約聖書』は当然ヘブライ語で書かれたと思われるかもしれません。確かに主要な書はそうですが、後期にはギリシア語で書かれたものもありました。例えば、前一世紀に書かれ、外典に数えられることが多い『知恵の書』は、最初からギリシア語で書かれています。

ギリシア語による著述や文献は、東ローマ帝国から中世に続いたビザンツ世界で脈々と受け継がれ、東ヨーロッパにも広まりながら独自の文化を培っていきます。ギリシアという国はその後滅びてオスマントルコの一部になりましたが、一九世紀に独立してから現代ギリシア語が公用語になっています。語彙や文法で古代ギリシア語から連続する現代ギリシア語ですが、今では哲学の世界ではあまり使われない地域言語です。

ラテン語はローマ帝国、特に西ローマの公用語から、ゲルマン系諸国に引き継がれますが、その背景にはローマ教会を中心にしたキリスト教の影響があります。後に「カトリック」と呼ばれるこの教会は、ヒエロニムス（三四二頃〜四二〇）がギリシア語からラテン語に訳した聖書「ウルガータ」を正典として整備しました。以後はそのラテン語共通訳に基づいて、布教がなされました。この仕組みに疑問が向けられるのはルネサンス期、エラスムス（一四六六頃～一五三六）ら人文主義者の登場を待ちます。

†サンスクリット語とパーリ語のコスモポリス

古代インドではさまざまな哲学の動きがあり、とりわけ前五世紀に興った仏教は後にアジア世界できわめて大きな影響を持ちました。仏教はその後、中国に伝来して漢訳仏典が東アジアで広まりました。その元にはサンスクリット語の仏典があったことが知られていますが、南アジアではその後はパーリ語がリングワ・フランカとして通用していました。この事情は、上座部仏教の専門家である馬場紀寿（のりひさ）（一九七三～）が『仏教の正統と異端』（東京大学出版会、二〇二二年）で「パーリ・コスモポリスの成立」と題して詳しく論じています。

南インドと東南アジアでは、後四世紀から一三世紀にかけて、「神々の言葉」とされたサンスクリット語が共通の言語として、法典や文学に用いられました。サンスクリット語は、ヴェーダ文献に用いられたヴェーダ語から発展した言語で、インド・ヨーロッパ語族のインド・イラン語派インド語群に属する古代語です。

ヒンドゥー教ではサンスクリット語が礼拝用の言語でした。仏教はもとは出家集団（サンガ）がブッダの教えを口承で受け継いでいましたが、紀元前後にその書写が始まったとされます。仏典は元来サンスクリット語で伝承されたのではなく、ガンダーラ語やパーリ語などの俗語（プラークリット語）でまとめられたと想定されています。それらの聖典をサンスクリット語に転換することで、主要宗教として広く展開したのです。

その後、東南アジア諸国はこぞってインド文化圏に加わることで、広域にわたる国際サンスクリット語ネットワークが成立しました。この「サンスクリット・コスモポリス」（インド学者シェルドン・ポロックの命名）は、南アジアと東南アジアの諸言語に影響を与えただけでなく、それを書き記すブラーフミー文字が、多くの文字の原型となりました。サンスクリット語を共有するこのコスモポリスは、モンゴル帝国のユーラシア大陸席巻や、イスラーム教の北インドや東南アジア進出というあらたな状況に直面して崩壊します。

その大変化が起きた一三世紀以降は、パーリ語を「聖なる言語」としてそれで書かれた仏典がスリランカから広まり、東南アジアの大陸諸国、つまりミャンマー、タイ、ラオス、カンボジアでは「パーリ・コスモポリス」（馬場紀寿）が成立します。パーリ語はインド・ヨーロッパ語族に属する古代インドの俗語の一つで、元はゴータマ・ブッダの時代に「マガダ語」と呼ばれていたものだとも言われます。確実に言えるのは、パーリ語がスリランカ、その首都アヌラーダプラの「大寺」で「聖なる言語」として伝えられ、やがて広まったということです。

パーリ語を共有するこの世界では、仏教の他、ヒンドゥー教、ゾロアスター教、イスラーム教、キリスト教なども広まり、宗教的に寛容な社会が国際的に成立していたことが注目されます。一三世紀から一五世紀にベンガル湾を囲む交易圏で栄えたこのパーリ語文化は、やがてポルトガルやスペインやオランダやイギリスによる進出を前に崩壊しました。

馬場は「パーリ・コスモポリスでは、聖なる言語であるパーリ語の下に世俗の言語があるという聖俗の二重構造を成した」（同書八頁）と説明しています。

†漢文という共通文語

古代から中世にかけてのリングワ・フランカが、地中海とヨーロッパではギリシア語とラテン語、南アジアと東南アジアではサンスクリット語とパーリ語で、それらは時代と地域と主体とで大きく変化しました。それに対して、東アジアでは中国で紀元前に成立した「漢字」を表記に用いる中国語が、広く政治や社会や文化の共通語として用いられ、古代から中世、近代へと時代を通じて現代まで、他に取って代わられることなく続いています。

黄河文明で成立した「漢字」は、部首の組み合わせできわめて多様な意味を表現する文字であり、体系性を備えていること、十万字とも言われる膨大な字数、および、和製漢字や朝鮮国字に見られる可塑性を特徴としています。

漢字は中国で文書を記録するためだけでなく、朝鮮、ベトナム、チベット、モンゴル、日本など周辺地域でも主に支配者層や知識人によって用いられ、それから派生した各国語の文字が現在でも多く使われています。日本語のカタカナ、平仮名はその一つです。歴史的にはベトナムのチュノム、女真文字や西夏文字などもありました。ちなみに、朝鮮のハングルは漢字に基づいて作られた文字ではありません。

ギリシアから広まったアルファベットが原則一語一音の表音文字であるのに対して、漢字は表意文字、あるいは表記文字という別種の文字で、その組み合わせ、つまり熟語や語順によってあらゆる意味を表現する優れた手段です。

漢字という文字とそれで構成される漢文を共有する文化圏の成立には、興味深い点があります。漢文は無論、中国語の書き物ですが、ラテン語などと異なり、音読と会話を行うための言語ではなく、文語として話し言葉から乖離していました。それは、中国語を話す中国人にとっても地域ごとの方言により異なる発音があって、相互のコミュニケーションが困難だったからです。それに対して、書かれた漢字の文章は中国のみならず、周辺国でも書き言葉として共通に用いられました。中国、朝鮮、日本の間で文化人らは、古来筆談による交渉や交流を行っていました。

訓読法によって日本語として読まれた漢文は、中国古典を日本の古典として受容するのに決定的な役割を果たしました。日本語とは別の語族に属し、文法も語順も異なる中国語の文章に返点などを施し、「書き下し」により日本語として読む工夫です。ただし、この「漢文訓読」という方法はけっして日本独自のものではなく、朝鮮、ウイグル、契丹など中国文化圏で類似の現象があったという指摘もあります。*

＊金文京『漢文と東アジア――訓読の文化圏』（岩波新書、二〇一〇年）参照。

訓読法は単に異言語を読む便宜ではなく、解釈の技法であり、注釈の方法として確立したすぐれた文化的遺産です。他方で、漢文訓読は原典の正しい理解を阻害するとして、中国語をそのままで読む「直読」の教えもありました。その伝統は室町時代の桂庵玄樹（一四二七〜一五〇八）や一条兼良（一四〇二〜一四八一）に始まり、荻生徂徠（一六六六〜一七二八）に至ります。その教えに応じて『四書』など儒教、朱子学の経典への接し方も変化しました。*

＊同書、第一章六節参照。

日本など周辺諸国では、知識人は漢字を用いて漢文を読解することで、中国で書かれた古来の学術文献を取り入れて自由に議論できました。逆に、日本で展開された思想についても、漢文で書かれた限りで、一応中国や朝鮮などでも読むことができたはずです。日本で最初の歴史書『日本書紀』が日本語的な漢文で書かれたのは、文化的な外交アピールでした。しかし、和製漢文は必ずしも流暢に読まれるものではなかったようで、漢文は基本的に中国から周辺への一方向的な文化伝播になりがちでした。日本語やハングルで書かれた文書が自国以外では読まれなかったことは、言うまでもありません。

紀元後にインドから中国に導入された仏教では、大量のサンスクリット語文献が漢訳され、漢文としてさらに朝鮮や日本に共有されてきました。また、儒教にせよ老荘思想にせよ、哲学の文献は漢文で書かれたため、仏教の僧侶をはじめ日本の知識人、特に男性は漢文を基本素養とし、多くの文献が東アジアで共有されたのです。

東アジアの哲学伝統をこの漢字文化圏を中心に見るという発想については、第7章で改めて検討します。

3 翻訳としての哲学

†翻訳可能性再考

私たちが世界哲学において直面しているのは、異なった文化や思想伝統の間で、果たして哲学的思索は翻訳可能か、どのように翻訳するのか、という問題です。

翻訳と一口に言っても、テクストの領域や目的によって大きく異なります。自然科学の理論や技術のマニュアルであれば、逐訳的な置き換えで十分に役目を果たします。とりわけ専門用語やテクニカルな言い回しを駆使する専門家の間では、言語の壁はほとんど意識されないことが多く、片言の英語でも十分だということになります。

対極的に、文学の言葉は翻訳がきわめて難しく、とりわけ韻を踏む詩は翻訳不能にさえ思われます。言葉の持つイメージ喚起力を最大限に発揮する詩歌は、音の響きから文字や印刷空間まで、他の言語では再現不能だからです。その場合、詩の翻訳は別の言語での新たな詩の創作に近いものになります。土井晩翠（どいばんすい）（一八七一〜一九五二）によるホメロス『イーリアス』（一九四〇年）と『オヂュッセーア』（一九四三年）の「七五調」の韻文訳がその例です。

哲学の場合は、概念の意味の同一性を確保することが難しいとしても、二つの側面で言語を超えた普遍性が期待されています。第一に、哲学で論じられる論理は文化や言語を超えて人類の知性に共通する面が大きいはずです。論理といっても多様であり、けっして単一ではありませんが、矛盾律や排中律や推論など、基本的な約束事は共通です。その限りで、哲学の議論を論理を保存して他言語で伝えることは可能でしょう。

第二に、概念が表す事柄は、より具象的なものから抽象的なものまで、やはり人類に共通する面が大きく、翻訳は可能です。例えば「人間、自由、平和、正義、愛、幸福」などは、文化差や時代差もさることながら、やはりすべての人間に共通する面が大きいはずです。

では、哲学では言語を超えた翻訳が難しい面はどこにあるのでしょうか。言語独自のスタイル、とりわけレトリックや言葉遊びは、異言語では再現が困難でしょう。しかし、レトリックは単なる言葉や言い回しの技術でなく、議論の運びや説得性に関わっており、必ずしも論理と明瞭には切り離せません。

しかし、よく考えると、レトリックや言語への負荷は同一言語の中でも起きるはずです。ドイツ語の語彙を縦横に活用して、意味の深みから独自の哲学を展開したハイデッガーがその典型です。哲学にとって翻訳の問題は異なる言語間に留まらず、哲学の理解可能性そのものに関わっているようです。

しかし、原理的に翻訳不可能とされる文献もあります。例えば、宗教の経典には、それが書かれて伝えられた言語に聖性があると信じられています。一九五七年に『コーラン(クルアーン)』の口語訳を出した井筒俊彦(いづつとしひこ)(一九一四〜一九九三)は、解説にこう書いています。

ごく最近まで、アラビア以外の回教諸国では、『コーラン』の翻訳ということは禁止されていた。意味が分っても分らなくても、信者はアラビア語の原文のままで『コーラン』を読まなくてはならなかった。〔中略〕今から約十二年以前、といえば丁度戦争が真最中のことだが、カイロの大学からやって来たある回教法学の先生が僕に言った、『コーラン』を翻訳してはいけない。それは宗教法に違反する。だが日本語による解説（タフシール）ということにして出版すればよい、と。〔井筒俊彦、『コーラン（上）』岩波文庫、三五九〜三六〇頁〕

『コーラン』が特別なのは、それが神自身がマホメットの口を借りて話しかける神の言葉だからです。

しかし、同じように神に由来する宗教の経典でも、キリスト教の『聖書』は事情が異なります。『聖書』は、ユダヤ教から受け継いだ『旧約聖書』とイエスの教えを語る『新約聖書』からなります。すでに見たように『新約聖書』はコイネーという共通ギリシア語で書かれましたが、五世紀からラテン語訳「ウルガータ」がローマ教会の聖典となり、受け継がれました。その点で、経典はすでに翻訳で成り立っていました。

キリスト教の『聖書』は、できるだけ多くの人々に読まれるように、宣教師が多様な現地語で布教してきました。そのため『聖書』はすでに七〇〇以上の言語に翻訳されています。イエスの言動を記した『福音書』は、確かに神自身が語った言葉ではありませんが、「バベルの塔」が崩壊してから通じなくなった諸言語の壁を越える努力が払われているわけです。いずれにせよ、そこには神の言葉という一つの普遍性が前提され、それが私たちの話す多様な自然言語を通じて現れると考えられているのです。

†翻訳という思考作業

翻訳するとはどういうことでしょうか。一つの文章をそのまま別の言語に置き換えるという単純な作業ではなく、いくつかの高度な手続きが必要です。とりわけ、業務上の文章や科学技術の論述とは異なり、哲学における翻訳は、内容理解、つまり解釈を伴わなければなりません。私もギリシア語の哲学テクストを翻訳する仕事をしていますが、そこで行う作業は大体次の七つのステップを踏みます。

①原文テクストの確定

翻訳を行うテクストに向き合い、その原文を確定します。哲学者が書いた論文や著作は印刷本で流布していますが、版や出版年や出版社によって異同があり、どの校訂版を使うかは重要な問題です。とりわけ、著者の原著や自筆稿が残っていない古代や中世の著作については、校訂（エディション）という文献学的な作業が必須だからです。

②原文の理解

次に、テクストの原文をしっかり理解する段階がきます。辞書や文法書を使った言語学的理解の上で、内容や参照箇所については注釈書や研究書を丹念に調べていきます。

③文章の文節化

実際に原文を翻訳し始めると、基本的には段落や文を一つずつ別言語に置き換えていく作業になります。通常「翻訳」と呼ばれるのはこの段階です。そこでは、当然と思われるかもしれませんが、まず文章の言語的要素を文節化します。

④語句の意味確定

文章の翻訳にあたり、個々の語や句の意味、および文章間のつながりや議論構成を検討します。それは意味を考えながら、原テクストをより正確に理解する解釈の作業でもあります。

⑤語順の再配置

そうして新たな言語で置き換えた文章を、その言語特有の言い回しや表現の順序で整備します。語順を変えたり、必要な区切りを入れたりすることで、機械的な翻訳を越えて、意味をより容易にかつ適切に理解できるようにします。

⑥補足追加・削除

元の言語表現をそのまま別の言語に置き換えただけでは、多くの場合は説明が足りずに理解困難なままです。原文では前提として表現されていない要素や、文と文のつながりの理屈などがあり、それらの説明を明示的に加える必要があります。そうして補足説明を追加することで、新たな言語で独立に理解可能にしていきます。また、場合によっては削除も行われますが、それは元の言語での説明が新しい文脈では不必要、あるいは状況にそぐわないということもあるからです。その塩梅（あんばい）は翻訳者の匙加減です。

⑦注釈と説明

最後に、訳文だけでは理解できない事柄を翻訳文とは別に説明します。例えば、そこで言及される人物や事柄や背景事情は、元のテクストの読者には馴染みであっても翻訳言語では説明が必要でしょう。さらに、翻訳にあたって困難な点を注記することも翻訳者の義務です。例えば、テクストの読みに異同があること、複数の解釈の間で論争があることなどです。それらは注や解説など別立てで説明しますが、広く翻訳の一部となります。

これらの過程を経て整えられた訳文が、その言語で思考するための哲学テクストとなります。翻訳には、以上のように、文献学、言語学、歴史学といった背景知識から哲学的議論まで、多くの要素が盛り込まれて、訳者の判断で取捨選択されています。

そうは言っても、翻訳はつねに限界に直面し、訳者は自分の理解が正しいか、訳文が十分かどうかに悩みながら、試行錯誤を重ねています。翻訳にあたっての見落としや新たな発見もつねに生じます。原文に還帰することで思考を刷新する、そんな知的作業が翻訳なのです。哲学の研究と教育においては、原文を絶対視する「原文主義」と翻訳使用を認める立場の間でつねに緊張関係があり、どちらを優先するかで態度が異なっています。しかし、以上の点では翻訳使用も十分に意義づけられます。

翻訳の哲学

翻訳とは何か、その哲学的意義を考察するのが翻訳の哲学です。例えば、複数の言語を用いる話者、バイリンガルやトリリンガルによる哲学遂行を、言語哲学・論理学的に究明する必要があります。

まず、言語と思考スタイルの関係の解明が必要です。各文化や言語に固有のスタイルとは何か、それが思索内容とどう関わるのかを分析して、普遍性と固有性を析出することです。それを通じて、新たな哲学的論理学の多元的な展開が目指されます。

翻訳はけっして一方向的でも、一対一の関係でもありません。プラトン対話篇については、古典ギリシア語のテクストが多くの現代語に翻訳されていて、複数の翻訳を比べて議論することもできます。もし同じ著作や文章が異なって訳されているとしたら、それらの間で文化的・歴史的違いは何なのかが問題になります。

もっとも有名な例では、「ある」を意味するギリシア語の動詞「エイナイ einai」とその派生語をどう訳すかという翻訳の問題が、他言語の哲学者を悩ませてきました。「エイナイ」やそれを受けたラテン語「エッセ esse」（英語の「トゥー・ビー to be」に当たる）は、「〜である」という繋辞（けいじ）（コプラ）の意味と、「〜がある」という存在の意味を持ち、前者は論理学の、後者は存在論の基礎になりました。

例えば、ペルシア語ではコプラの動詞がありましたが、アラビア語にはどちらに当たる動詞もなかったため、ギリシアから哲学を導入したファーラービー（八七〇頃〜九五〇）はそこに根本的な困難を表明しました。日本でも和辻哲郎（一八八九〜一九六〇）が、日本語の「有る」は所有を意味するという考察を行っています。中国語では「有」と「在」という異なる漢字が使われます。このような基本概念の翻訳作業は、優れて哲学的な問題に直面します。それはまた、言語と文化と歴史のすべてを巻き込む世界哲学的なテーマです。

異なる文化の間で哲学テクストを翻訳する場合、単に言語を理解可能な形で別の言語に置き換えるだけでは不十分です。元のテクストが置かれていた文脈と新たな文脈の間で調整が必要になるからです。例えば、多神教であったギリシア語の文献をキリスト教の中世や近代の人が読む場合、「神」という語についてはあたかも一神教のように読まれることがあります。また、王国や帝国での政治学理論を市民社会で論じたりと、文脈を合わせる読み替えの作業が必要となります。そうした文脈や背景の違いを越えて、哲学的な普遍性がどこにあるのか、それが翻訳を通じた哲学の関心事です。

個々人の翻訳作業に目を向けると、別の複雑な事情があります。私自身、ギリシア哲学の研究を日本語と英語の両方で発表しています。英語で議論して論文を書く時には、日本語とは異なる論述をすることもあります。その意味で、二つの場面でまったく同じ思考を進めているとは言えないのかもしれません。もしそうだとしたら、バイリンガルやトリリンガルの話者が哲学の議論をする際には何が起こっているのかが疑問になります。哲学と翻訳の関係は、哲学的に極めて興味深い問題なのです。

†AI自動翻訳の可能性

現在飛躍的に発展しつつあるAI（人工知能）を使った自動翻訳機能についても、簡単に考察しておきましょう。

Google翻訳やDeepLといった翻訳ツールは、数年前と比べても正確さや自然さを格段に増していて、私たちがこれまで培ってきた外国語能力をすぐに越えて、即座に優れた訳文を提供してくれます。この機能向上には、「ディープラーニング（深層学習）」という技術が使われています。人間の脳機能をモデルにした「ニューラルネットワーク」により、機械学習方法を多層化した手法です。コンピュータが膨大な蓄積データをもとに、自ら学習を行い解答を修正してクオリティを向上させるという仕組みのようです。

ここで期待されるのは、世界哲学に深刻な問題となる「言語のディレンマ」を一挙に解消してくれる技術の可能性です。つまり、日本語と英語、英語とスワヒリ語といった、英語を介した多言語間の通訳ではなく、日本語とスワヒリ語、日本語とモンゴル語など、異言語同士が直接に自動翻訳されることが技術的には可能なのです。そうしたら、国際学会で一つの言語での発表を、同時に複数の多言語話者が自国語で理解して応答することも夢ではありません。英語の独占や一元支配が破れる可能性が見えてきます。

しかし、機械翻訳は単語や文章の「意味」を理解しているのでも、「論理」を追っているのでもありません。単語をデータに置き換えて、それを規則性に従って自然な並び順で提示するというものなので、定型的な表現や文章に対してはほぼ完全な対応を示せますが、独自の表現や難解な思考には対応できません。つまり、自動翻訳は今のところ、言語間の壁を乗り越えるのに役立つツールに留まっていて、それ以上に哲学的な議論を促進させるには、結局私たち人間が主体的に言語を使い、問題に向き合うしかないのです。そうは言っても、異言語での哲学議論の翻訳がどのようなものか、その論理性を研究することで、この方向に進展させることは可能ですし、望ましいように思われます。

世界哲学が世界のすべての人に真に開かれた、本当の哲学の営みであるためには、コンピュータもＡＩも最大限活用する必要があるのです。

†日本語への哲学の翻訳

「翻訳」というと、すでに確立している一つの言語とその文章を別の言語の文章に置き換えることと思われるかもしれません。しかし、それほど単純ではありません。言語はつねに流動していて、それを語ることによってさらに変化しています。つまり、他の文化や言語から考えや言説を移入することで、それを取り入れた言語はすでに新しいものへと変質するのであり、さらに言うと、取り入れるという試みがその言語に大きな負荷をかけて言語を鍛えていくことになります。「鍛える」と言うのは、今まで言えなかった事柄を表現できるように自らを変える、ということです。

この限りで、異なる哲学に出会い、それを翻訳することで言語が新たに哲学的になっていくことが分かります。明治期からの日本語と哲学はまさにそのような過程を辿ってきました。幕末から明治期に、西周（一八二九～一八九七）や福沢諭吉（一八三五～一九〇一）らが多数の西洋哲学概念を日本語に翻訳したことはよく知られています。井上哲次郎（一八五六～一九四四）を中心とした東京大学哲学科の研究者たちは一八八一年に『哲学字彙』を編纂し、それを基礎に、幅広い西洋哲学の文献が日本語に翻訳されました。その成果は近代日本での哲学思索の糧となり、中国や韓国にも輸出されて、今日東アジアの哲学文化の基盤となっています。

　私はかつて「理想」という日本語が西周による純粋な造語であり、明治以前には日本にも中国にもなかった単語であること、さらに「理」と「想」を合成した熟語がプラトンの「イデア」を説明する翻訳語として登場したことを論じました。* その後この「理想」という言葉は日本の社会で爆発的に流通し、中国など漢字文化圏で共有されています。これは、西洋哲学に由来する翻訳が日本や東アジアの文化を変えてしまった、一つの例です。

＊納富信留『新版　プラトン　理想国の現在』（ちくま学芸文庫、二〇二三年、原著・慶應義塾大学出版会、二〇一二年）参照。また、山内廣隆『過剰な理想――国民を戦争に駆り立てるもの』（晃洋書房、二〇一九年）は「理想」の功罪を歴史的視野で論じている。

明治期からの西洋哲学受容の歴史において、プラトン哲学の翻訳が果たした役割が大きいと言われています。漢文を基本としていた書き言葉を口語に近づける試みは明治期に始まっていましたが、難解な漢語が目立つ哲学の文章において、日常世界との接点はなかなか付けられませんでした。そのなかで、市井（しせい）の言葉で本質的な哲学議論を展開するソクラテスの対話は、日常語で哲学することへの挑戦に受け取られました。一九〇〇年代から何度も挑戦されてきたプラトン対話篇の日本語への翻訳作業は、まさに日本語で哲学することを鍛え上げるのに貢献したと言われています。西洋哲学の翻訳は、現代の日本語を生み出し、それを通じて日本語で哲学する思索を促してきたのです。

その過程は、日本が古代から中国語やサンスクリット語からの翻訳を通じて東アジアで哲学を展開してきた伝統の、歴史的発展形なのです。

第4章 哲学の普遍性

1 哲学のディレンマ

†哲学の普遍性という問題

これまで世界哲学という視野を得るために、「世界」の意味やそれを語る「言語」に目を向けてきました。本章では哲学が成立する基盤である「普遍性」という問題について考えてみましょう。

「哲学」が真理を目指す人間の知的営為である限り、普遍性（ユニバーサリティ universality）に関わるとされます。しかし、実際に「哲学」と呼ばれる営みは、人類の歴史の様々な時代に、世界の様々な場所で、異なった仕方で展開されてきたはずです。それでは、世界哲学はそれらの差異や個別性を超えた同一性を備えなければならないのでしょうか。

「哲学の普遍性とは何か」という問いを問う必要があります。

哲学は誰のものでしょうか。特定の人種や民族や文化だけが哲学を行い、他の人々が哲学に与（あずか）らない、ということは考えられません。哲学は、私たちが生き、考えるあり方であり、「人間であること」の本質に関わる以上、真理と知恵を愛し求めるという「哲学（フィロソフィアー）」の基本理念は「人間」の定義になるはずです。つまり、人間はみな本質的には哲学者であるはずです。そして、真理を目指し知ろうと求めながら、より善く生きること、それが哲学だとすると、そこには必ず普遍性が認められるはずです。

哲学の普遍性には二つの意味が区別されます。第一に、「哲学」が時代や文化や言語を問わず、人間が思考し生きる限り普遍的に営まれるという意味と、第二に、哲学が「普遍性」を対象や目標として持つという意味です。第一義では、「哲学」を持たない時代や文化は存在しないという含意があります。第二義では、「普遍性」をテーマにしない哲学は存在しない、あるいは、それは哲学ではない、ということになります。

しかし、これらの何かが欠けた場合、理論的困難が生じます。第一義に関して、もし哲学に与らない時代や文化や民族があったとしたら、あるいは、与る程度に多少という差があるとしたら、哲学は人類に普遍的ではないことになってしまいます。他方で、第二義に関して、歴史上で展開されてきた哲学的営為の多様性を考えると、それらが同じ普遍性を目標に据えてきたことに疑問が向けられます。実際、絶対的な真理があることや、普遍性を求めることに対する疑義や批判は、現代では広く表明されています。ですが、普遍性を意識しない思考法があるとすると、それは「哲学」と呼ばれなくなり、哲学が人類に普遍的な営みであることが崩れてしまいます。二義が重なって哲学の普遍性が成立するか、あるいは、二義のどちらも満たされずに不成立になるか、理論的にはそのどちらかです。

ポストモダンを経た現代の私たちは、真理や絶対性や普遍性に批判的な目を向けがちです。それらを持ち出す態度は、同一性の名のもとに個別性を排除したり、消去したりするのではないかと、問題視されてしまいます。そこでは、改めて「哲学」の意味と存立が問われることになります。

他方で、「グローバル化」と呼ばれる傾向は、実際には経済力・政治力・技術力・情報力を背景にした、特定の文化による世界支配に見えます。哲学についても、元来は異文化の諸哲学が多元的に展開されていましたが、今日では英語による分析哲学が主流となって、それに合わせる形で一元化、共通化が進んでいるようにも見えます。哲学の普遍性が二義ともに成立しているかのように見える現在の状況は、かえって悪しき共通化への圧力や回収かもしれません。この点も、慎重に考える必要があります。

†「哲学」のディレンマ

哲学という営みには、さらに、その歴史性に関わるディレンマがあります。「哲学」とはまずは「フィロソフィアー」つまり「知を愛し求める」を意味する古代ギリシア起源の理念であり、西洋独自の知的営為です。この歴史的な特殊性を持ち出すと、それを哲学の普遍性とどう両立させるかという問いがディレンマを生みます。

「哲学」という和製漢語は一九世紀半ばに西周が「フィロ・ソフィアー」の訳語として提案した新語であり、元来は「哲＝知恵を希う」という字義で「希哲学」とした語を、後に簡略化してできたものです。その後この翻訳語は、東アジア漢字文化圏でも流布してきました。西が「フィロソフィアー」のギリシア語原義を生かそうとした理由は、彼がこの語が東洋のどの既成学問や宗教にも対応しないと認識し、とりわけ儒学と区別することを目指したからです。この時代に提案された他の翻訳語、例えば「理学」（中江兆民）も類似の意識を反映しています。「哲学」という訳語は、東アジアで西洋哲学が導入された際に、それが特別に西洋的な営みであると見なされた歴史状況を明瞭に示します。西洋文明を異なるモデルとして取り入れて近代化しようとする意図が、「哲学」という言葉に込められているのです。「哲学」はこの意味で、特殊に歴史的・地理的・文化的な概念です。

日本ではとりわけ、「哲学」という漢語は「フィロソフィアー」の語源的意味に基づいて、ギリシア以来の西洋哲学だけを意味するものと理解されており、東洋の哲学については、「思想」という別の語を割り当てる傾向が強力です。この点、「中国哲学」や「韓国哲学」という表現を積極的に用いる中国や韓国とは、受け取り方が異なるようです。

ですが、日本における「哲学＝西洋哲学」へのこだわりは、根拠のないものではありません。「哲学」の名のもとに遂行される知的営みが、古代ギリシア以来の思考法と、そこから歴史的に培われた枠組みとに強力に制約されていることは確かであり、現在でも欧米にはそのような見方が強固に残っています。そのため、非西洋的な考え方に「非論理的、非哲学的」という評価が下されたり、逆に過剰な期待が寄せられたりします。西洋の「哲学＝フィロソフィアー」が基準となり、それに外れる思考を排除する傾向は、日本の「哲学」の扱いに今も根強く残っているのです。

ここに「哲学のディレンマ」とでも呼ぶべき事態が生じます。それは、「普遍性」という哲学の定義的内容と、西洋起源という歴史性との間の矛盾です。ディレンマはこう構成されます。

まず、ギリシア哲学が確立した理念において、哲学の本質は「普遍性」にあります。普遍であるとは、場所や時代や状況にかかわらず、一定のあり方が当てはまる、つまり、いつでもどこでも成り立つことです。ところが、近代以前の日本がそう扱われるように、非西洋的、非ギリシア的な思考が「哲学」の領域から排除されるとしたら、哲学そのものが普遍的に成立していないことになります。つまり、結局ギリシアの伝統とその後継者であるヨーロッパ、西洋哲学のみが「哲学」と見なされ、普遍性は哲学の特徴ではなくなるのです。これがディレンマの一つの角(つの)です。

ディレンマのもう一つの角は、「普遍性」を哲学の本質と見なす点こそ、きわめて西洋的、つまりギリシア的な見方だとするものです。他の文化や時代の思考がギリシア的な「普遍性」を共有しないとしたら、それがないという理由で非西洋的思考を排除するのは、西洋起源の哲学としては当然の成り行きです。ですが、そのような特殊性こそ、まさにその「普遍性」を欠いた思考だという結論になります。

いずれにしても、「普遍性」を掲げるギリシア以来の西洋哲学は、それ以外の思考法を「哲学」として受け入れる理由を持ち得ないことになります。哲学の普遍性に基づく世界哲学を目指すために、私たちはこのディレンマから抜け出さなければなりません。

2 普遍性とは何か

†「普遍」の語義

ここで、鍵となる「普遍 universal」という概念を検討する必要があります。まず「普遍」という漢語を見てみましょう。[*] この語は「ひろく行き渡っている」という意味で、中国や日本でも早い時期から使われていました。ですが、この語を、哲学概念に用いたのは、明治以降のことです。東京大学三学部で編纂された『哲学字彙』（一八八一年）では、「ユニバーサル Universal」という語に「一統、普遍、全稱（論）」という訳語を、そして「ユニバーサルズ Universals」に「通有性（論）」という訳語を当てています。[**] 以後、哲学では「普遍」という訳語が、論理学においては「全称」という訳語が定着しています。

＊『哲学・思想翻訳語事典【増補版】』（石塚正英、柴田隆行監修、論創社、二〇一三年）二四三頁（高山裕）参照。

＊＊一八八四年の井上哲次郎、有賀長雄による改訂増補版一三一頁では、「一統、普通、全稱（論）」という訳語が当てられている。

英語の形容詞「ユニバーサル universal」は、ラテン語の形容詞「ウニウェルサーリス universalis」に由来し、「他の多くのものに対する一（ウーヌム・ウェルスス・アーリア unum versus alia）」という表現から作られたとも言われています。ギリシア語では「多の上に立つ一」という表現がありますが、これはプラトンがイデアの性格づけに用いた問題含みの規定でした。イデア論を退けるアリストテレスも、「多くの事柄について、一つの事柄を語る」ことが成立しなければ論証知が成立しないことを『分析論後書』（第一巻第一一章七七a五〜九）で強調しており、この表現を積極的に用いています。「ウニウェルサーリス」の元となった「ウニウェルスス universus」は「宇宙」とも訳され、「一つ（ウーヌス unus）に向かう（ウェルスス versus）」からなると言われます（キケロ）。

西洋哲学史では「普遍論争」と呼ばれる、「普遍者」の存在論的身分についての論争があり、今日でも分析形而上学で論じられています。山内志朗は中世哲学における「普遍」の四つの意味を区別しています。①原因作用における普遍、②事物の前の普遍、③述定における普遍、④存在における普遍、の四つで、普遍論争で問題になるのは第四の意味です。[*]しかし、この論争において、普遍者が実在するかは問われても、「普遍とは何か」は、必ずしもきちんと検討されていません。ここでは、ギリシア語の「カトルー katholou」に遡って、その意味を押さえていきましょう。

＊山内志朗『普遍論争』（平凡社ライブラリー、二〇〇八年）七九〜八二頁参照。

†アリストテレスの「普遍」定義

「カトルー katholou」というギリシア語を最初に用いたのはアリストテレスで、これは彼の造語でした。「カタ・ホルー（全体に即して）」という副詞句から作られた合成語で、同様の副詞句はプラトンも『メノン』『ポリテイア』『パルメニデス』で用いています。「カトルー」の語は複数の領域でやや異なった意味で用いられていますが、それらの関係は必ずしも明瞭に整理されていません。私は、まず論理学、存在論、知識論の領域にわたって三つの基本的な用法があり、その上で、哲学について語られる第四の用法があると考えています。

①論理学――日本語で「全称」と訳される、「すべての」にあたる命題・判断
②論理学・存在論――個別の事物ではなく、複数のものに共通する述語・存在者
③論理学・知識論――学問的知識の基礎として、すべてのものに自体的に成り立つ必然性
④存在論・知識論――人間の営みとしての哲学のあり方

まず、第一の意味から見てみましょう。明治以来の日本語で「全称命題」と訳される「ユニバーサル・プロポジション universal proposition」は、「すべてのXはYである／でない」の形式をとる命題です。それは「あるXはYである／でない」に当たる「特称（パ

ティキュラー particular）命題」と対になります。「特称」はギリシア語では「部分的な」と表現されました。このそれぞれに肯定と否定が対応することで、全称肯定（A）・全称否定（E）・特称肯定（I）・特称否定（O）の四種の命題が成立し、それらの間に矛盾・反対・大小などの論理関係が成り立ちます。これらがアリストテレスの形式論理学で推論の基本となりました。

「全称＝普遍」とは、Xにあたる事物（主語＝基体）についてYという述語が、すべてにわたって当てはまる、という量化です。「全称／特称」は、量化がなされていない「不定称命題」や、個物についての「単称命題」を除く、あらゆる命題に当てはまる形式であり、内容や真偽や必然性には関わりません。

さらに、この全称命題を成立させる「普遍」を得る手続きが、「帰納」です。アリストテレスは、「帰納は、個別のものが明らかであることによって、普遍を証示する」（『分析論後書』第一巻第一章七一a八〜九）と述べます。

第二の意味は、論理学において規定されますが、後に「普遍問題」を惹起することになる、存在者の性格づけとしての「普遍・普遍者（ユニヴァーサル universal）」です。

事物には普遍的なものと個別的なものがある。私が普遍的 katholou と呼ぶのは、複数のものに述定されるという本性のものであり、個別的 kath' hekaston とはそうでないものである。例えば、人間は普遍に属し、カリアスは個別に属する。（『命題論』第七章一七a三九～b一）

ここで「普遍」は、複数のものに述語づけられる、という論理学上の概念です。その対義語は「個別 particular」であり、一般的に用いられる語句（一般名詞、形容詞、副詞）はすべて普遍的です。個別者は、カリアス、ソクラテスのような固有名詞、あるいは指示詞で示されるものと考えて構いません。

これと似た概念対として「一般 general／特殊 specific, special」があり、「複数のものに述定される」という規定は「一般者」にも当てはまります。Aさん、Bさん、Cさんという個人を見て「人間である」という場合、あるいは、カラスや鳩や鶴を見て「鳥である」という場合です。後者の場合は「カラス」なども一般者です。ですが、「一般」という訳語を当てられる「ジェネラル general」は、元来は類（ジーナス genus）の派生語で、その対義語である「スペシフィック specific」「スペシャル special」は種（スピーシーズ species）から作られました。つまり、両者は類種関係にあたり、類は諸々の種の上に立つ包括概念であることから、個別の種にのみ当てはまる「種的＝特殊的」を超えた、「類的＝一般的」な妥当性を持つのです。

したがって、「一般的」とはレヴェルを上げ、類にわたって範囲を広げた、概括的な判断を意味します。それは「普遍」のように、個別者の「すべて」に適用されるという論理的含意を有しませんが、日常的にはほぼ同義で用いられています。

このように、元来は論理学で規定された「普遍」ですが、哲学史において、その存在論的身分が問題とされてきました。ポルフュリオス（二三四〜三〇五）の『イサゴーゲー』に由来するとされる中世の普遍論争は、プラトンの「イデア」という離在する普遍者の実在性をめぐる哲学議論です。アリストテレスはイデア論を徹底して批判し、『形而上学』（Z巻第一三章）で「実有（ウーシアー）」の候補から退けています。ただし、「形相」という内在する普遍者を実在と見なしており、その点ではプラトンと軌を一にしていました。

さて、「普遍」の第三の意味は、第一の真なる諸命題から推論される学問的論証について語られる普遍性であり、それが学問的知識（エピステーメー）の要（かなめ）とされます。アリストテレスは『分析論後書』で「カトルー」を定義して、「すべてについて＝全体として」と「自体的に」を併せ持つ概念だと語ります。

ここで私が「普遍的」というのは、すべてについて、それ自体として、そのものである限りにおいてある事柄のことである。だから、普遍的な事柄が当のものごとに必然的にあることは明らかである。（『分析論後書』第一巻第四章七三b二六〜二八）

「すべてについて」とは「或るものについてはあるが、別のものについてはない、ということがなく、或る時にはあるが、或る時にはない、ということのない」という意味で、論理の「全称性」にあたる広義の「普遍」です。それに対して、ここで定義される狭義の「普遍」は、全称であることに加えて「自体的（カタウト kath'hauto）」な関係にあることが求められます。「自体的」とは他のものに依存せずにそれ自体で成り立つあり方を意味し、その否定は「付帯性」です。したがって、狭義の「普遍」は、「個別性」と「付帯性」の否定であることが分かります。

狭義の「普遍」は、したがって、単に全称的に当てはまるだけでなく、本性的で必然的な関係にあることです。アリストテレスはさらに、「第一に普遍的」という事柄を、主語と述語が交換可能である場合として説明し、次の例を挙げます。二直角（一八〇度）の内角を持つことは三角形であることであり、両者は第一の普遍的な関係にあります。というのは、二直角の内角を持つことは、二等辺三角形や正三角形にも当てはまるのですが、「自体的に」ではないからです。このような意味での「普遍」が、厳密で必然的な論証的知識の基礎となります。

『分析論後書』第一巻第一一章では、論証知が成立するためには、多くの事柄について一つを述語づけることが真でなければならず、そうでなければ「普遍的な事柄はなくなるから」と語られています（七七a五～九）。狭義の「普遍」は、学問的論証を通じて知識が目指す目標に当たるのです。

アリストテレスが幾何学の例を用いたことにも見られるように、ギリシア人にとって知識の典型は、自然科学、とりわけ数学でした。それは、時空や条件を超えてあらゆるものに自体的に妥当する必然性を持つからです。アリストテレスは「個物」には定義を認めず、それについては学問的知識が成り立たないと考えました。人間が本当の意味で探求して知ることができるのは、「普遍」のみだったのです。その意味で「普遍」は知識を成立させる基礎であり、かつ、その知識が明らかにする世界のあり方です。

†第一哲学の普遍性

アリストテレスが論理学で規定した「普遍」との関係で、哲学の普遍性が明らかになります。アリストテレスが哲学（第一哲学）について「普遍」という特徴づけをした箇所は、哲学の区分を論じた『形而上学』E巻の一節に限られます。

そこではまず「理論的」な学問が「実践的」および「制作的」な学問から区別され、理論学がさらに自然学、数学、神学の三つに分けられます。そして、第一の不動の実在を扱う神学＝第一哲学は「普遍的な学か」が問われます。自然による存在者〔運動変化を行うもの〕以外にそれを動かす不動の実体が存在し、それを扱う学、そして特定の類を扱うのではない学がもっとも先行することが論じられます。

だが、もしなんらかの不動な実有が存在するのであれば、これ〔不動の実体を対象とする理論学〕がより先なるものであり第一の哲学であり、第一であるという理由でこの学は普遍的であろう。そして、あるものとしてのあるものについて考察すること、またそれにあるものとして属するものどもが何であるかを考察することは、この学に属する。

（『形而上学』E巻第一章一〇二六a二九～三二）

「ある」はあらゆるカテゴリーを通じて万物にわたることから、全称という「普遍」の第一の意味が当てはまります。それを「あるものとしてのあるもの」を扱うという自体性が、第三の狭義の「普遍」に対応します。究極の実有である神〔不動の動者〕を対象とし、その限りで「ある」そのものを扱うがゆえに、その学問には「普遍」の資格が与えられます。

つまり、万物の原理・原因とそれがあらしめる全存在者をそれ自体として考察する観想の営みが、哲学なのです。ここで「普遍性」は哲学の定義に含まれることになります。

アリストテレスのこの定義には、哲学が普遍性を対象とし、哲学自体が普遍的であるという、「普遍」の第四の意味が読み取れます。

しかし、ここで「普遍的」とされる第一哲学、つまり形而上学は「理論学」の一つであり、政治学・倫理学からなる「実践学」とは区別されています。その意味で、私たちはこのアリストテレスの哲学枠組みをそのまま用いることはできません。理論学と実践学の関係も、普遍性をめぐる論点の一つとなるのですから。これらを橋渡しするのは、私たちの世界哲学の役割です。

3 科学の普遍性

†自然科学との対比

普遍性とは、あらゆる時と場所を通じて妥当し適用可能な命題や判断のあり方であり、その限りで学問的知識の条件です。これは通常は、自然科学の本質と考えられています。

それゆえ、自然科学が探求し論じる対象が普遍的（ユニヴァーサル）に、つまり宇宙（ユニヴァース）にわたって、いやすべてのものにわたって成立する真理であることは、ほぼ自明視されています。この点を考察していきましょう。

まず、「ほぼ自明視されている」と言ったのは、科学哲学や科学史においてはその見方をとらない立場もあるからです。トーマス・クーン（一九二二〜一九九六）の「パラダイム論」を代表に[*]、それぞれの時代や範囲での科学が独立で相対的な知識枠組みをなし、唯一絶対的なものとは考えない見方です。そこでは、例えば西洋近代科学が一つのパラダイムであり、中国科学とかインド科学の意義を別に認めることになります。

*トーマス・クーン『科学革命の構造』（中山茂訳、みすず書房、一九七一年）。

しかし、自然科学の研究現場では、特定の理論が絶対的だとか、唯一であるとは考えなくても、科学が普遍的であることは当然とされています。その「科学」とは西洋で成立した近代科学です。理論が対象とする事柄、例えば自然法則や原理が普遍的に通用することは前提されています。それゆえ、自然科学の分野では言語や文化や時代による相違は意識されず、共通の基盤の上で研究が進められているのです。普遍的であるはずの科学にとって、歴史性や特殊性は手続き上の制約にすぎません。

西洋文明における「科学（サイエンス、エピステーメー）」の成立起源にまで遡って、現在自明視されている考え方を反省する試みもあります。ケンブリッジ大学のジェフリー・ロイド（一九三三～）の一連の研究が、文化人類学的な知見を活用しつつ、ギリシアにおける科学の成立を明らかにしています。*

*特に G. E. R. Lloyd, *The Revolutions of Wisdom: Studies in the claims and practice of ancient Greek science*, University of California Press, 1989 参照。中国との比較研究の成果としては、『古代の世界 現代の省察――ギリシアおよび中国の科学・文化への哲学的視座』（川田殖他訳、岩波書店、二〇〇九年）参照。

ロイドの議論によれば、古代ギリシアで交わされたオープンな論争が、それぞれが自分の立場を「知識、技術、哲学」として主張し、他者を「似非（えせ）知、魔術、ソフィスト術」などとして否定することで、次第に二項対立の図式において科学や哲学を成立させました。つまり、最初から技術や科学があってそれが発見され発展されたのではなく、いわば言論で戦われた正当性をめぐる論争の結果として、それらが登場したのです。

「科学とは何か」が焦点になる中で、他の思考法は「非科学＝魔術（マジック）」として排除されてきました。そうして科学的思考が発展すると、「合理性」や神による摂理や自然の斉一性といった、それ自体は論証できない基本が、前提されてその上に学問が作られたのです。ちなみに、「マジック」の語源はペルシアで儀式を取り仕切っていた「マゴス僧」にあります。そこでは、ギリシア人が「バルバロイ（ギリシア語を話さない異民族）」を否定する二項対立のロジックが使われました。

†斉一的世界観

近現代の自然科学に礎を築いた古代ギリシアの自然哲学は、いくつかの基本的方針を打ち立てました。その一つが、単純な原理によって複雑な現象を説明するという原則です。できるだけ少ない数の原理（できれば一つであることが望ましい）による、斉一的で整合的な説明を求める姿勢は「科学的」思考には自明と思われるかもしれません。しかし、場所や時間ごとに異なる現象が起こり、それらに共通する一般法則などは存在せず、統一的な説明は不可能だという考え方も、十分に想定可能なはずです。神話的世界では、どこそこの場所でしか起こらない現象や、特定の人や超人間的存在（神や魔物）が引き起こす特異な現象があります。また、私たちが住む世界とは異なる世界では事物がまったく異なる性質を持ち、異質な振る舞いをしたりします。そういった神話的思考を退けたのが、科学・哲学の合理性でした。

ピュタゴラス派の影響を受けたプラトン主義の伝統では、数が宇宙の秩序と存在の原理であり、数学的に説明される世界こそ美しいと見なされます。そうして「普遍性」が科学の疑い得ない性格であり、それを支える哲学の基準だと考えられたのです。

しかし、基本原理に基づく斉一的な世界観は、必ずしも西洋に限った考え方ではなく、例えば、朱子学は「理・気」の二元論で世界の変化を合理的に説明しました。にもかかわらず、西洋科学のような自然の数学化が行われなかった点は重要な差異です。アリストテレスの学問論が幾何学をモデルにしたのも、そして、その少し後にユークリッド（エウクレイデス、前四〜前三世紀）が幾何学を体系化したのも、数学の真理への信頼、そして学問知識への確信があったからです。近代ではガリレオ（一五六四〜一六四二）やケプラー（一五七一〜一六三〇）やデカルトがプラトン主義的な数学化で物理学を確立し、カントが数学をアプリオリな総合判断と見なすことで、認識に普遍的な基盤を据えることになります。

やはり近代科学の礎となった原子論も、「あるはある、ないはない」を原理としたパルメニデス（前五二〇頃〜前四五〇頃）の影響下で成立した「不可分の単一体＝アトム」という発想に基づきます。しかし、アトムの形状や大きさに無限の種類があるとしたデモクリトス（前四六〇頃〜前三七〇頃）らの原子論は、自然の説明として不十分で非実効的なものでした。それに対してプラトンは、数学的秩序にもとづくイデア論的原子論を提示し、その発想（『ティマイオス』）が近代に至って少数の「元素」からなる物質論へと整備されることになります。これらの典型例からも、西洋の自然科学がギリシア哲学に由来する探究プログラムを色濃く反映して発展してきたことが分かります。

説明できないもの、合理的に理解できないものを「非科学的」として排除する戦略は、科学的思考の基盤をなします。そこでは「言葉・理性（ロゴス）」が、いつでもどこでも成り立つとされ、理性的な存在には誰にでも理解可能な「普遍性」として措定されています。このロゴスこそ、ギリシア哲学の根幹でした。

†普遍化可能性

二〇世紀後半に盛んになった現代思想の「反哲学」では、普遍性がとりわけ批判の対象となりました。現在でも普遍性を論じる哲学には大きな懐疑が向けられますが、二一世紀に入って強烈な揺り戻しも起こっています。

普遍性や絶対性を否定してすべてを相対主義や権力の問題にしてしまうと、学問そのものが崩壊し、「ポストトゥルース」のような不本意な結果が社会で広がってしまう危険性が認識されています。そのため現在では「普遍性」を何らかの仕方で救済しようとする議論が少なからず見られます。

私自身は、ギリシア哲学が求めた普遍性とは、「あらゆる時空や状況を通じて同一である」という単純な画一性ではなく、むしろ、「個別特定の状況において普遍的に説明されうるuniversalizable」という可能性ではなかったか、と考えています。

中島隆博は、フランスの中国哲学者フランソワ・ジュリアン（一九五一〜）から示唆を受けて「普遍化 universalizing」という理念を示唆しています。[*] つまり、多様で多元的な視点と、それを超える思考を可能にする動きこそが普遍性ではないか、という考えです。唯一の説明方式を絶対的にすべてに適用するのではなく、議論や翻訳を通じて、多様なものの間の動的な移行から、何か同一のものを明らかにする思考の営みにおいて、「普遍性」が目指されるという考えです。私もこの方向を支持します。

* François Jullien, *On the Universal: the uniform, the common and dialogue between cultures*, trans. Michael Richardson and Krzysztof Fijalkowski, Polity, 2014.

†科学と哲学の間

二〇世紀の哲学において「普遍性」の概念に強い疑念が向けられた一方で、自然科学における疑いは限定的でした。先ほど触れたクーンのパラダイム論がその一つとされますが、それは相対主義の一種というより、歴史相対的な多元的科学観と言うべきものでしょう。

科学的な法則や事実は疑いなく普遍的だとされますが、社会の仕組みや価値は虚構であり共同幻想である、としばしば語られます。例えば、国家や法人は虚構の存在者であり、法律や貨幣や資格は約束事であり、正義や人権や自由などの理念は歴史的生成物だという見方です。古代ギリシアのソフィストたちが提起した「ノモス（法慣習）／フュシス（自然本性）」の区別と対比が近代に受け継がれたものです。

もしこのような形で、自然科学が対象とする自然界の客観性と、人間の社会における法律や倫理の文化相対性が全く異なるものとして区別されるとしたら、私たちが論じてきた「普遍性」は前者にだけ適用される特徴となることでしょう。現代で支配的なそのような見方は、しかし、絶対的な根拠を持つものでも、歴史を通じて受け入れられてきた考えでもありません。人文社会の領域と自然科学の領域とを切り分けて、別々の論理や基準をつけるのではなく、その間に通底する基盤や関係を見ようとする傾向が、近年では強くなっているように感じられます。

もしも「自由」や「平等」が共同主観的な構築物に過ぎないとしても、そういった何らかの虚構なしには共同体が営むことができません。また、より望ましい虚構が選ばれるべきだ、という倫理は残ります。例えば、奴隷制を廃止して自由と人権を掲げてきた人類の歴史は何らかの必然性に基づくのであり、奴隷制も人権もメリット次第であるとか、民主的な政治参加も独裁的な支配もどちらも相対的な価値の違いしかないと考えるのは、すくなくとも歴史の理解には不適当でしょう。

もしそうだとしたら、その目指すべき先に「普遍性」があると想定することは可能であり、それが必要だと考えられないでしょうか。

進化を踏まえた知性

ここで科学との関係で考えておくべき問題がもう一つあります。進化論による人類の進化という観点です。生物としての人類の進化がこれまでの哲学の議論を変える可能性があるとすると、それは知性と倫理という二点でしょう。それぞれを検討してみましょう。

生物進化が単なる理論的仮説ではなく、DNA分析などで実証的に示されるようになると、人間もアミノ酸が合成されて発生した生物の一形態であり、動物や植物や微生物といった他の生物と共通の祖先から進化した存在であること、したがって人間に特権性があるわけではないことが意識されてきました。

すると、人間の理性や知性が従来のように神的起源の絶対的なもので、普遍的真理へのアクセスを保証するものだとは前提できなくなり、他の能力と同様に生物進化の結果獲得された一能力だと見なされるようになります。それは、環境への適応という生存競争において形作られた、特殊な生き残り戦略という見方です。

しかし、進化を考慮に入れるプラグマティズムで「知性」や「真理」を捉えるとしても、必ずしも従来の絶対的な真理や哲学と非両立なもの、あるいは対立するものと見なす必要はありません。例えば、人間が他の動物とは異なり、特定の感覚を研ぎ澄ませるのではなく共通感覚的な総合把握を重視し、知性による抽象的な思考を展開してきたと考えることもできます。その場合、人間は個別例や特定の観点の限定から自由になり、一般化し普遍性を捉える思考を持つようになったのであり、そこで見出された法則や原理が「真理」とされたと考えられます。それらは、とりわけ数学的な把握によって一般化されます。一般的な原理や法則は、あらゆる状況に適用されることで強い効果を発揮するので、生物種にとって圧倒的に有利でした。

人間知性でさらに重要な特徴は、そうして考え行為する「自己」を捉える再帰的な思考です。反省をすること、つまり、主体を客観的に捉え他者と自己を比較考量することで、自己の限定から解放されることになります。人間は個別の例を超えて一般化し、自分がどんな存在かを客観的に見る能力を持った生物なのです。

もし人類という生物種が、進化の過程で環境適応のために「知性」や「理性」と呼ばれる能力を発展させ、とりわけ教育や文化を世代を超えて伝承させることを可能にしてきたとしたら、人間が神的な知性を宿して別格にあるというかつての見方は崩れ去りますが、それだからと言って「知性は客観的で絶対的な真理とは関わらない」という帰結は生じません。人間という生物種がたまたま発展させた能力が、この世界、つまり宇宙と地球に成り立っている法則や原理を的確に捉えるものであり、それが人間を他の生物にまして繁栄させる要因になったと考えても差し支えないからです。

つまり、人間が進化の過程で獲得してきた能力としての「知性」が、後天的なものだからといって相対的だと考える必要はありません。知性が捉えるのが普遍的な真理や法則や原理であると考えることは、依然として可能なのです。

†普遍的倫理を求める進化

生物進化から捉え直されるもう一つの領域は「倫理」です。人間の道徳や倫理は、生物種としての人類が進化の過程で獲得してきたさまざまな道徳感覚や規範の集積であり、共同体を形成しそれを維持発展させるために必要な傾向性であったという説明です。原初の素朴な取り決めや約束は次第に一般的な規範や理念となって、人間に共有されてきたという見方です。

例えば「正義」は、強者が弱者を支配していた時代に共同体の秩序を維持するために構成員が合意して両者が共に従うルールを作ったものであり、強者はそれに縛られて協調的になると同時に、それに従うことで社会で一定の影響力を安定して保持する根拠となった――そんな説明がなされます。同様に「愛、憐れみ、節度」なども、人類の生存と共同体の維持にむけて獲得された特性の理念化であると、推測による説明が与えられます。

　私たちが従っている規範や倫理がこのような歴史的背景によって生成し、保持されたという見方は、ニーチェが「系譜学（ゲネアロギー）」として用いた手法です。ニーチェの哲学は、キリスト教を中心とする普遍的で絶対的な権威を相対化して退けることで、私たちの生き方に根本から反省を迫ってきました。

　倫理規範が変化してきたことは、歴史から確認されます。古代社会では奴隷制がごく当たり前であり、近代においても多くの社会で容認されてきました。しかし「人権」概念の進展と普及とともに、現在ではどんな場合でも基本的人権が保障され、他人を奴隷にすることは許されないと認められています。人種差別や性差別についても、まだ課題は多いとはいえ、過去と比べると格段の進歩を遂げていると言えるでしょう。

　ですが、倫理や知性がそのように進化論的、あるいは系譜学的に説明されたとして、それらが普遍性を欠いていることの証明にはなりません。つまり、人間は環境や生存という条件によって恣意的に学問や真理や倫理をでっち上げてきたのではなく、数学的な法則や生に関わる倫理を発見してきたと考える道は依然として残されているからです。それらは人間によって見出されたとはいえ、独立に普遍性を持つものであることは理論的に排除されません。つまり、人間の歴史性や特殊性を超えた普遍性があり、人間はそれに出会い自分のものとしてきた、それが進化である、という見方です。

自然科学の発展を考えると、この見方はある程度納得できます。ロケットを打ち上げて宇宙に人工衛星を配置する場合、数学で計算された物理法則や宇宙の状態は、その人工物を予測通りに動かすことに見事に一致しています。そういった物理法則の数学的計算が、人間が偶然に身につけただけで普遍性を欠くものだとしたら、これほど上手くはいかないのではないでしょうか。

一つの仮説に過ぎませんが、こうして普遍化して考えるように進化したのは、自己を反省的に捉える能力が人間に備わったからかもしれません。今、私と皆さんがこうして人間の知的営みが普遍的な真理かどうかを反省していること自体が、すでに特殊性を超える普遍性への志向だと言えるでしょう。たとえそのように論じられる人間の知性が、現時点ではごく限定的で不完全なものであっても、また、人間の倫理や規範が偏向を含んでいたり不十分だったとしても、それでもなおそれらは普遍性に向けて開かれている、つまり、普遍性という地平において進化の途上にあると考えられるのです。ただし、その進化は一方向とは限らず、とりわけ倫理においては多元的な実現が目指されるでしょう。

普遍性をどう捉え、それをどのように確保していくのか、それは哲学の基本問題であり、人間という生物種のあり方を理解する鍵なのです。

Ⅱ 世界哲学の諸相

第5章
哲学を揺るがすアフリカ哲学

1　排除されたアフリカからの視点

†アフリカの哲学？

　哲学に関心のある人でも、フランス哲学やアメリカ哲学、あるいは中国哲学などの本は読んでいても、アフリカ哲学というものは聞いたことがないのではないでしょうか。そもそもアフリカに哲学があったの、といった反応も聞こえてきそうです。

「哲学があったのか？」という疑問を聞くと、日本や中国も直面した「哲学即西洋哲学」との衝突がここにもあることに気づきますが、実は問題はそれに留まりません。欧米から遠く離れて独自の哲学伝統を培ってきた東アジアの中国やその周縁にあった日本とは異なり、アフリカは、地中海をはさんでヨーロッパと向き合う近隣の位置にあり、さらに言うと、エジプトでアジアと繋がる古代文明発祥の地として、西洋とははるかに長く深い関係を持ってきたからです。

忘れてならないのは、ヨーロッパが「文明国」になったとされる近代に、ヨーロッパ人はアフリカ大陸では組織的な人間狩りを行い、奴隷という商品をアメリカ大陸に輸出して繁栄していたことです。アメリカ合衆国ではそうして買われたアフリカ出身の奴隷が、プランテーションなどで労働力として酷使されていました。

「世界哲学」という場合に、とりわけ問題となるのが、このアフリカの哲学です。それが提起するのは、アフリカが辿ってきた歴史、いやそれ以上に「アフリカ」という概念に由来する問題です。本章ではその問題について、ごく入門的なことを見ていきたいと思います。

†西洋古典哲学における不在

まずは、私の個人的な経験からお話ししましょう。私は日本でギリシア哲学、特にプラトンの研究を始めて、大学院博士課程はイギリスのケンブリッジ大学で学びました。一九九一年から九六年までの五年間です。そこでは英国だけでなく、世界中から多くの留学生が来ていて、国際的な雰囲気のなかで議論や研究をしました。私が所属したロビンソン・カレッジは普通の学部・大学院共通カレッジだったので、理系や文系など様々な分野の学生と食事や行事で知り合いになりました。そこにはインドや香港やシンガポールなど旧植民地出身の学生に混じって、アフリカ出身者も何人もいました。しかし、私の研究機関である「古典学部（ファカルティ・オブ・クラシックス）」では、アフリカから来た学生はほとんど一人もいませんでした。

当時はアジアからの学生も数は少なく、日本からの訪問研究者が比較的多く、あとは韓国人がいるくらいでした（その後は中国からの留学生が増えたと聞いています）。そのため、出身地の偏りはそれほど気になりませんでしたが、その後も長年ギリシア哲学の研究を続けていて、国際的な学会でもアフリカ出身のギリシア哲学研究者に会うことはほとんどありません。私が主に活動する国際プラトン学会では、セネガルでプラトン研究をしているジブリル・サム教授にお会いしたことがありますが、アフリカの会員は当時彼一人でした。*

＊ Djibril Samb, *Les premiers dialogues de Platon: structure dialectique et ligne doctrinale*, Dakar: Nouvelles éditions africaines du Sénégal, 1997 等の著作があります。

アメリカ合衆国では状況も変わりつつあるだろうと思いますが、伝統的な西洋哲学の研究、とりわけ古典の研究は欧米人が中心で、アフリカ系の研究者や学生がいない状況は顕著でした。西洋古典学（クラシックス）という分野は、ヨーロッパとアメリカの白人にとってはエリートが学ぶべき格式高い学問ですが、それはそれ以外の人々、とりわけアフリカの有色人種を排除して成り立ってきたものなのです。もしその学問を学びたいというアフリカ人学生がいたとしても、とても居心地が悪く、有言無言の圧力のうちに傷ついて去っていくことになったかもしれません。

そのため、排除されていると感じる人々は西洋古典学を積極的に学ぶことを避けますし、むしろその学問を嫌ったり憎んだりすることになります。ギリシア哲学の研究で、白人研究者が大多数を占め、私たちアジア人がそれに加わるという出身構成のいびつさは、そうした根深い文化差別の構造の反映です。

「アフリカ哲学」という、耳慣れないが近年大いに注目を集めている分野は、そういった西洋中心主義のイデオロギーに対抗し、それを揺るがす意図をもって遂行されています。「哲学」はヨーロッパや白人エリートの独占物ではなく、世界に開かれていなければならないはずです。

†「アフリカ」とは何か?

ここで改めて「アフリカ」について考えてみましょう。ヨーロッパとアジアからなるユーラシア大陸とスエズ地峡でつながっているアフリカ大陸は、地理上は、南・北アメリカ大陸、オーストラリア大陸、南極大陸と並ぶ六大陸（あるいは南北アメリカを合わせると、五大陸）の一つです。人類が発祥したとも言われるこの古い大陸は、しかし、多くの異なる地域と気候と生物相、それに伴って大いに異なる人々や文化や歴史を有する巨大な陸地です。アフリカで話される言語は二〇〇〇とも三〇〇〇以上とも言われていますが、民族内で広く用いられるものだけでも一〇〇あまりあるとされます。

そもそも「アフリカ」という名称自体、その土地に住む人々が用いた言葉ではありません。正確な語源ははっきりせず、多くの説があるようですが、現代のチュニジアの地にあったカルタゴにフェニキア人が植民した後で、ローマ人がその土地をラテン語で「アーフリカ」と呼んだことで広まったようです。ローマが地中海地域で拡張政策をとるなかで、アフリカが戦略上、政治上で重要な地域となっていたのです。

「アフリカ」という言葉は元来はサハラ砂漠以北の地域を指していて、それ以南のことは知られていませんでした。もっとも、エジプトは最古の文明の地であり、その南にあるエチオピアについては、ギリシア人も多少の知識を持っていました。前六世紀末に各地を回った詩人哲学者クセノファネス（前五七〇頃～前四七〇頃）は、エチオピア人なら彼らの神々を「平鼻で肌が黒い」としただろう、と歌っています（DK断片一六）。

すぐに紹介する現代南アフリカの哲学者モゴベ・ラモーセは、「アフリカ」という名前そのものも植民者からの押し付けであることを強調します。日本が「ジャパン」と呼ばれたり、北米の原住民が「インディアン」と呼ばれるように、外から見て一括して付けられた呼称に過ぎない、そこに統一の対象があると考えるのがそもそもの間違いだという主張です。そんな「オリエンタリズム」の問題がここにあります。

†失われたアフリカ

「アフリカ」は政治、言語、民族、文化、宗教など、あらゆる点でけっして同質世界ではありません。

西洋列強は帝国主義による植民地化において、一八八四年のベルリン会議で「アフリカ分割」を行いました。イギリス、フランス、オランダ、ベルギー、スペイン、ポルトガル、ドイツ、イタリアといった国々が支配した地域では、恣意的な国境線が引かれただけでなく、その後も経済的に宗主国の影響を受け、公用語も英語やフランス語が使われて、いわば帝国主義的分断が続いている状況です。その根深い影響は政治的に国家が独立した二〇世紀後半から後も長く続いていきます。

貨幣と資本主義経済の浸透は、伝統的社会を破壊し、キリスト教の進出は伝統文化を駆逐して植民地支配を正当化しました。それは植民地から脱して独立国家となった現代も変わりません。旧植民地の態勢のままで唱えられる「民主主義」は、資本家と搾取される人民の構造を強化してしまいます。具体的には、職につけない人々が民主的な選挙権を行使して特権的な支配層を選出するという構造です。また、「人権」の名のもとに、西洋中心主義的な価値観が押し付けられて、実際にはさまざまな場面で人種差別が残り、強化されているのです。

それらの地域が独立し、苦難のすえに独自の政治や社会を模索している現在、「アフリカ哲学」という名のもとでその地域の哲学者たちの連帯が図られているのが現状です。「汎アフリカ主義」と呼ばれる黒人結集の運動もあり、西洋文明や欧米諸国に対抗しています。しかし、そもそもまったく異なる環境や背景を持つ広大な大陸の諸地域をどう結びつけるのかは、大きな課題です。

さらに、現在は脱植民地化・ポストコロニアリズムにおいて「アフリカ哲学」という共通基盤があるとはいえ、一九世紀以前に遡ってアフリカ大陸の各地域に独自の哲学や伝統があったのか、それはどんなものだったのかを哲学史的に発掘することは極めて困難、いやほとんど不可能です。その最大の理由は、この地域には書き物の伝承がなく、口承による文化だったこと、さらに奴隷貿易と植民地化によってその伝統も根こそぎ破壊されてしまったことにあります。人間狩りによって人々が連れ去られ共同体が崩壊したところでは、文化自体が失われたのです。

†「アフリカの哲学／アフリカ的哲学」の諸相

「アフリカ哲学」を語るにあたり、問題をさらに複雑にしているのが、「アフリカ的アメリカ哲学 African American Philosophy」の存在、およびそれとの関係です。新大陸が発見された一五世紀から一九世紀まで、およそ五〇〇年の間にアフリカからアメリカ大陸向けに七〇〇万から一二〇〇万人にものぼる奴隷が輸出されたと言われています。それらのアフリカ出身の人々は現地でアフリカの文化を守り、あるいは混血したりして別の文化を生み出しました。アフリカ起源の人々による哲学は「アフリカ的アメリカ哲学」と呼ばれ、現代アメリカ合衆国の文化の一部となっています。

しかし、それらアフリカ出身者による哲学も、アフリカ大陸そのものから切り離されて長い年月が経た今では、もはや「アフリカ」とは別のもの、つまり「アメリカにおけるアフリカ」という意味になっているようです。彼らがアイデンティティとして語る「アフリカ」が、人種問題を抱えるアメリカ合衆国で持つ文化的・政治的意味は、全世界でアフリカ諸国の政治や文化が担う役割とは異なるものです。ですが、「アフリカ哲学」というくくり方には「アフリカ的哲学／アフリカの哲学」の両者にまたがる複雑な事情があることを留意しておきましょう。

しかし、それはけっして単なる混乱ではなく、「アフリカ哲学」が持つ、限りない可能性の一端かもしれません。「アフリカ哲学」について、日本ではまだほとんど本格的な研究がなされていませんが、『世界哲学史8』「第10章　現代のアフリカ哲学」（『世界哲学史』のシリーズのなかで、もっとも刺激に満ちた章の一つです）を担当した河野哲也（一九六三〜）が、世界哲学の一環として、現在それを日本に紹介する仕事を始めています。排除された存在「アフリカ」から「哲学」を見ること、いやむしろ彼ら自身の「哲学」を直接に見ることで、私たちが世界哲学を展開する大きなヒントが得られるのではないかと、私は期待しています。

†アフリカ哲学の意義

このように多様なアフリカ哲学には、いくつかの共通した特徴も認められます。何よりも、西洋文化・西洋哲学に対抗する強い問題提起があります。河野は「現代のアフリカ哲学は、西洋近代哲学の根源的批判から始まる」と断言しています。非西洋という点では共通する日本との関係も重要です。河野は次のようにまとめています。

西洋化とそれに対する抵抗、あるいは自文化の普遍性と特殊性という日本の近代哲学と共通の課題を持ってはいる。しかしそれは、西洋化に対する激しい批判と拒否、自由と自立への希求を示している点において、日本とはある意味で対照的である。(『世界哲学史8』二七四頁)

広大なアフリカ大陸は、異なる地域と伝統に応じて分けて考える必要があります。まず、古代からヨーロッパ文明に接し、イスラーム圏となっている北アフリカとサハラ砂漠以南の地域が分けられます。他方で、イギリスに支配された英語圏とフランスやベルギーの勢力に置かれたフランス語圏があり、元来オランダ語も入っていた南アフリカはそれらとも違う文化と歴史を持ちます。そういった基本も含めて、アフリカ哲学を考えていくのは世界哲学の課題です。

2 ウブントゥの哲学

†あえて「アフリカ哲学」を名乗る

これから紹介するのは、南アフリカで現在活躍しているモゴベ・ラモーセの哲学、とりわけ彼の英文著書『ウブントゥを通じたアフリカ哲学 African Philosophy through Ubuntu』（ジンバブエ・ハラレ、一九九九年）です。私はラモーセ教授に国際学会で何度かお会いし、二〇二三年五月には初めて日本に招き東京大学で講演していただきました。この哲学者を紹介することで現在のアフリカ哲学をすべて代表させることはできません。しかし、アフリカ哲学の全貌と豊かな可能性については、現在集中的に研究にあたっている立教大学の河野哲也に任せて、私は一つの入り口としてラモーセの議論を紹介します。

見た目にも私たちがアフリカ人としてイメージするまさにそんな風貌で、民族デザインの服を身にまとうこの小柄な哲学者は、私がヨーロッパやアメリカで出会ったどんな哲学者とも、東アジアの哲学者たちとも違う、パワーと思いを感じさせます。一九九四年以前の南アフリカで、彼がどんな過酷な経験をしたのか、私は知りません。弾圧や闘争をくりかえしてきた南アフリカの黒人が、西洋を相手に「哲学」を語る時、何が起こるのでしょうか。

「アフリカ哲学」、この言葉を口にするとき、ラモーセはすでに怒りに満ちています。それは、幾世紀にもわたって搾取し奴隷狩りをし、植民地支配をしてきたヨーロッパの「文明」に対する大地からの怒りであるとともに、そこで「アフリカ哲学」をあえて論じる二重の怒りの思いです。

まず、「アフリカ」という語が、征服者であるヨーロッパ人が一つの大陸に勝手に与えた名前であり、多様な文化や歴史を無視して「非文明」として扱う蔑称だったことへの怒りです。しかし、ラモーセはそれゆえにこの「アフリカ」という名称を捨てるのではなく、むしろあえて「抗議のため」に用いると宣言します。そこで何が起こるのでしょうか。

さらに「哲学」という主題のもつ暴力性があります。ラモーセはくりかえしアリストテレスによる「人間は理性的な動物である」という定義を持ち出し、ここで言われる「人間」にアフリカ人が含まれていない、と訴えます。さらに言えば、アメリカン・インディアンやオーストラリア先住民も含まれておらず、「人間」とは男性であり、女性も含まれていないと言います。「人間」と見なされるのが人類の一部に過ぎず、そこで排除されてきた者たちからの一つの声が、「アフリカ哲学」なのです。

†理性をめぐる闘争

もし真に「人間は理性的な動物である」としたら、アジア人でもアフリカ人でもまったく同等に理性的存在として尊重されるはずです。しかし、そこから一部の人間を排除するのに、西洋の歴史はさまざまな詭弁（きべん）を使ってきました。キリスト教では、神が創造したアダムとイヴ以来の人間にアメリカ・インディアンやアフリカ人は入らない、彼らは人間に似た別物だ、とまで主張されました。そういった偏見に満ちたイデオロギーは、哲学者たちにも独善的な言い訳を述べさせてきました。

アリストテレス、ロック、ヒューム、カント、ヘーゲル、これら西洋哲学を代表する哲学者たちは、とりわけアフリカに対して、驚くべき偏見に満ちた発言をしてきました。彼らは時代の常識に無批判的に従っただけかもしれませんが、そういった見方に哲学的な裏付けを与えるような言説があったことは、真摯に反省されるべき事態です。

ヘーゲルが彼の「哲学史」からアフリカを排除して顧みなかったことは驚くには当たりません。さらに『歴史哲学講義』では、アフリカについてこう言っています。

本来のアフリカは、歴史的にさかのぼれるかぎりでは、ほかの世界との交渉をもたない閉鎖地帯です。内部にひきこもった黄金の地、子どもの国であって、歴史にめざめる以前の暗黒の夜におおわれています。（ヘーゲル『歴史哲学講義』上、長谷川宏訳、岩波文庫、一九九四年、一五七頁）

彼はアフリカ人について、「黒人は自然のままの、まったく野蛮で奔放な人間です」（同一六〇頁）と述べ、「アフリカは世界史に属する地域ではなく、運動も発展も見られない」

るのです。

（同一六九頁）と結論づけています。現代のアフリカ人は今でもこのような偏見と戦ってい

ラモーセやアフリカの哲学者が闘う、真に解放されるべき目標は「理性」という人間の本質です。人間なら理性を持つと言われる以上、アフリカ人でも当然だと思うのは、歴史の事実に反しています。アフリカ人やアメリカ原住民は見かけは人間に似ているが、本当は人間とは言えないという理屈で、合理的に人種差別が認定され広まっていたからです。

アフリカの哲学者たちが何よりもまず、つねに格闘している「人種差別」とは、したがって、社会的に冷遇されるとか偏見に満ちた言葉を投げかけられるとかいう過酷な状況だけではなく、むしろ人類の一部が「人間」として扱われないという哲学的な問題です。「理性」という絶対的な特権が恣意的に、あるいは無批判的な偏見で奪われた人々がいる「世界」は、けっして一つのものにはなっていません。そんな歪んだ人種差別に対して、西洋哲学は基礎づけに寄与してきたのです。

現在では南アフリカを含むアフリカのほとんどの大学で「哲学」が教えられ、西洋哲学が学ばれています。その中身に込められたアフリカに対する無知による偏見や無視が、取り上げられて批判的に議論されることはほとんどありません。この状況にラモーセはこう疑問を投げかけます。

アフリカの大学で西洋哲学を教えることが、この大陸における人種差別の具体的な経験に、哲学的な人種差別の光のもとで訴えることを、これほど長い間できないでいたのは、何故だろう?（第一章、二八頁）

ラモーセはこの問いに対して、アフリカにおいて西洋哲学が「文脈を外して」教えられてきたからだと答えます。つまり、アフリカでアフリカ人として生きるその経験に基づいて哲学がなされてこなかったのです。ヨーロッパにおいて西洋哲学がその時代や場所で、曲がりなりにも生きた文脈において営まれてきたのとは対照的です。

アフリカには昔から哲学があり、アフリカ人は「人類」の故郷の住人として哲学をする可能性を持ってきました。今日アフリカ哲学を行うには、アフリカが奴隷化と植民地化によって傷つけられ虐げられてきたという経験に基づき、真のアフリカの解放を目指して議論していくしかありません。そのためには、ヨーロッパ哲学の「現実、知識、真理」といった認識論の概念が植民地アフリカに押し付けられ、その哲学的パラダイムのもとで支配され奴隷となっている状況のくびきから脱却する必要があるのです。他方で、もし西洋人が「他者」の声を聴こうとするのなら、真に正当にグローバルな、共通の言論の場を開くことができることでしょう。

ラモーセは「アフリカ人」を語る枕詞として「記憶されない時代から from time immemorial」という言葉をよく付けます。これは人類が生まれ育ったアフリカの地の悠久の時間感覚を示すとともに、「古代ギリシアから」とか「イエス・キリストから」と歴史を限って語る西洋の狭い視野への異議申し立てでもあります。

†「ウブントゥ」という言葉

アフリカ哲学、あるいはアフリカ哲学の一つとして提唱される「ウブントゥ哲学」とは何でしょう。ラモーセは「ウブントゥ」がアフリカ哲学の根であると言い、次のように説明します。

> 宇宙において一人のアフリカ人であることは、ウブントゥに分かち難く錨（いかり）を下ろしている。同様に、アフリカの知識の木は、分かち難く結びついているウブントゥから生え出ている。（第三章、三五頁）

それゆえ、ウブントゥこそがアフリカ哲学の存在論と認識論の源泉なのです。

このウブントゥ哲学は地理的には、ヌビア砂漠から喜望峰まで、セネガルからザンジバル諸島までと位置づけられますが、かつてサハラが砂漠になる以前の人的交流まで考慮に入れると、その範囲については異なる見方が生まれるでしょう。

バントゥ語で語られる「ウブントゥ」という言葉は、「ウブ」と「ントゥ」からなる一体の単語です。「ウブ」は「ある」ということ一般を表し、特定のものとして現れる以前の折り畳まれたあり方を示します。ウブはつねに広げられることを含意していて、具体的なものへと徐々に顕現するその目指す先に、成りゆく「ントゥ」があります。それゆえ、「ウブントゥ」は「あること」の切り離し得ない一体の概念であり、その二つの側面が存在論的な「ウブ」と認識論的な「ントゥ」なのです。

西洋哲学では通常区別し対置されがちな「ある」と「なる」ですが、「ウブントゥ」はそれを分解して断片化せず、「なるものである」という一体で捉えます。全体であることが、そこでの核心です。「なる」という絶え間ない進行を「ある」にするには、いわば流動言語 rheomode language というべき語り方で捉えることが必要です。そこで「あること」というウブは、不安定な生成を含んだあり方なのです。

「ある、なる」の分断に加えて、私たちは西洋哲学にあるような「主語・動詞・目的語」という言語構造に思考を縛られています。しかし、その枠組みを避けて「あること」を動詞ではなく動名詞のように捉えることが必要です。このように、西洋哲学が前提している言語分析や論理の基盤が改めて反省に晒され、西洋哲学では把握しきれない宇宙の全体性を捉えるのが、ウブントゥ哲学なのです。

†ウブントゥ哲学の広がり

ここでさらに、ウブントゥ哲学のいくつかの見方を紹介しましょう。

「ウブントゥ」と関連する「ウムントゥ」という言葉は、話す存在としての人間の出現を表し、日常的には「人間」を意味します。ウムントゥの語りなくしてはウブントゥは破られない沈黙にあり、両者は密接に連関するのです。二つの言葉の結びつきは、格言「umuntu ngumuntu nga bantu」に見られます。翻訳は困難としながら、ラモーセはこんな意味を与えます。「一人の人間という存在であることは、その人の人間性を他者の人間性を認めることで確認し、その基盤の上に、彼らとの人間的な関係を立てることだ」。

「あることのダンス」は、全体である宇宙が動的で流動的で音楽的である、という見方に基づきます。アフリカの人々は音楽を聴くと黙って坐って聴いていることができず、音楽に合わせて踊り出すと言われますが、「あること」に合わせて踊るとは、調子を合わせること、それと調和することです。そこには宇宙をめぐる存在論と認識論に基づく命法、

「あることに合わせて踊れ」があるのです。

ウブントゥでは「事実」も「真理」も関係を表します。独立した事物のあり方が事実としてあり、それが観察されたり検証されたりするのではありません。知覚と行為の同時的な一致が「真理」であり、人間は真理の作り手なのです。知覚が純粋でも独立でもないことは、西洋哲学ではしばしば無視されがちな点です。ウブントゥでは、それゆえ「真理を生きる」というあり方が成立します。

同様に、「時間を生きる」のであり、「時間の中で生きる」のではありません。人間とは独立に、いわば空虚な入れ物として時間を考えがちな西洋近代哲学に対して、ウブントゥ哲学は、時間と私たちの生を、いわば家族的な関係において思考するのです。

ウブントゥでは「あること」を人間を三つの相でとらえます。言葉を語るウムントゥ、死んでこの世にはいないが別のところで「生きている死者」、つまり、不死なる祖先、そして、これからこの世に生まれ出る未来の存在です。生きている者の仕事は、これから生まれ出る者がきちんと生まれるようにすることです。この三相の世界観は、二つの見えざるものを含む存在論です。それら生者に知られていないものの存在を信じることが、生者の生き方に直接影響を与えます。それがウブントゥの形而上学です。その究極にある「偉大なるもののなかで最も偉大なもの u-nkulu-nkulu」は、端的に語り得ぬものです。それゆえ、ウブントゥの哲学や宗教に神学理論はありません。
「ウブントゥ哲学」の世界を、モゴベ・ラモーセの著書に即してごく簡単に覗いてみました。ここで大切なことは、これが存在論や認識論や倫理学や宇宙論を合わせた総合哲学であると同時に、政治や社会や法、宗教や医術の基本となっていることです。例えば、政治や法は、宇宙が絶えず調和を求めて闘争しているという理解の上で、それに基づいて確保されます。ウブントゥ哲学は実践志向ですが、正義の具体的な実現を通じた平和が、その基本となる法なのです。

ウブントゥ哲学をはじめとするアフリカの哲学は、これまで支配的、抑圧的、独占的であった西洋哲学への抗議という強力なメッセージを帯びます。しかし、その内容はけっして非西洋、反西洋という否定性だけではなく、それ自体として豊かな可能性を持つものです。家族や人間関係を軸にした集団的思考、二分法に基づかない存在論・認識論、そして宇宙と結びつく人間社会の位置づけなど、私たち東アジアの人間の文化とも共通する多くの特徴を有しています。

今後、アフリカ哲学が日本でも紹介、共有され、日本哲学とも並べて論じられながら世界哲学の視野を広げてくれることを期待しつつ、私も学んでいきたいと思っています。

第6章 世界哲学としての現代分析哲学

1 哲学動向としての分析哲学

†二〇世紀の代表的哲学

二〇世紀後半の哲学は、一九世紀から隆盛が続いたドイツ哲学、つまりドイツ観念論、マルクス主義、新カント派、現象学などに代わって、英語圏を中心とする分析哲学（Analytic Philosophy）が世界をリードしました。

分析哲学については、その起源をめぐって議論があります。一九世紀後半のフレーゲ（一八四八～一九二五）とするか、二〇世紀前半ケンブリッジのG・E・ムーア（一八七三～一九五八）やバートランド・ラッセル（一八七二～一九七〇）とするか、二〇世紀半ばオクスフォードの日常言語学派を重視するかといった問いに加えて、科学哲学や論理実証主義との関係、ウィトゲンシュタイン（一八八九〜一九五一）の位置づけ、アメリカではプラグマティズムとの重なりが問題となり、論者によって理解に幅があります。[*] また、W・V・O・クワイン（一九〇八〜二〇〇〇）が一九五一年に発表した論文「経験主義のふたつのドグマ」で、真理をめぐる分析と総合の区別を「経験主義の第一のドグマ」として退けてから、[**] 厳密な意味での分析哲学は成立しなくなったとも言われますが、分析哲学と呼ばれる流れはその閾（しきい）を越えて現代まで続いています。あるいは、リチャード・ローティ（一九三一〜二〇〇七）が一九七九年に出版した『哲学と自然の鏡』が分析哲学を否定してそこから抜け出す記念碑に見えるかもしれませんが、分析哲学はその後の変遷をへて、現在でも世界の広い地域で中心的な哲学であり続けているのです。

＊分析哲学の歴史は飯田隆編『哲学の歴史11』（中央公論新社、二〇〇七年）、『世界哲学史8』第1章「分析哲学の興亡」（一ノ瀬正樹）参照。

＊＊W・V・O・クワイン『論理的観点から――論理と哲学をめぐる九章』（飯田隆訳、勁草書房、一九九二年）所収。

こう考えると、「分析哲学とは何か」という定義に拘泥することはそれほど有意味でないばかりか、狭すぎる規定は生きた展開を見失わせかねません。その点を留意しながら、ここではあえて「分析哲学」という呼称を用いつつ、それを一つの哲学スタイルとして世界哲学の視野で捉えてみます。

では、世界哲学から分析哲学を見るとはどういうことでしょうか。ある論文や研究が「分析哲学」に属するとは、著者や論文が自己規定して言明するものではありません。通常はそういった領域や手法への言及なしに、端的に特定の「問題」を扱って論じるのが「分析哲学」の特徴だからです。したがって、論文や研究の中ではそれが分析哲学的かどうかは問われず、ほとんど意識さえされていません。いわば議論の共通の土俵として設定され、説明抜きで了解される前提が、外から見て「分析哲学」と呼ばれるものです。それに対して世界哲学は、そういった特殊な領域や手法を改めて明示化し特徴づけ、他の領域や手法との関係や相違を検討し、比較を通じて哲学全体の営みのなかに位置づける試みです。その意味で、分析哲学は世界哲学の視野において、初めてその意義が明らかになると言えるかもしれません。

二〇世紀後半の分析哲学は、それ自体が限定抜きの端的な「哲学」であるという自己意識を強く持っており、英米圏の大学や研究機関でそういった認識が共有されてきました。それは、しばしば分析哲学以外の営みを「哲学」の名に値しないとする偏向を生んできました。それゆえ、「分析哲学」を特殊な動向として取り扱い、世界哲学の一部に含めることには、それに従事してきた人々の間ではおそらく大きな違和感や抵抗があるはずです。しかし、世界哲学の視野において「分析哲学」と呼ばれる営みが哲学としてどのような意義を持ち、どこに弱点や限界があるのかを反省して指し示すことが可能になります。

†分析哲学と古代ギリシア哲学

私自身の研究は西洋古代哲学であり、現代の学術領域では「分析哲学」に従事してきた者ではありません。ですが、一九八〇年代の日本では当時全盛の分析哲学に日々接し、九〇年代前半には英国ケンブリッジで、分析哲学的なギリシア哲学研究の場に身を置きました。ケンブリッジ大学での古代哲学研究は哲学部と古典学部に分かれ、ほとんどの研究者は古典学部に所属していたため、オクスフォードと比べてより歴史的な学風を維持していましたが、とりわけG・E・L・オーエン（一九二二～一九八二）がローレンス教授職についた一九七三年以降は分析的アプローチが主流となっていました。私は古典学部で、オーエンの教授職を継いだマイルズ・バーニェット（一九三九～二〇一九）の指導の下で、プラトン『ソフィスト』を研究しました。博士論文を元に出版した研究書（*The Unity of Plato's Sophist: Between the Sophist and the Philosopher*, Cambridge University Press, 1999）は、英米圏では「非分析的アプローチ」に近いと評されながら、ヨーロッパでは「分析的」著作と見做されることが多いようです。

古代ギリシア哲学の研究が分析哲学の手法を適用してプラトンやアリストテレスらの議

論を分析した歴史はすでに長く、二〇世紀半ばのオクスフォードの哲学者たちから顕著です。オースティン（一九一一～一九六〇）にはプラトンとアリストテレスに関する論文があり、ライル（一九〇〇～一九七六）もプラトンに関する複数の重要な論文や研究書『プラトンの進歩』（一九六六年）を発表しています。アンスコム（一九一九～二〇〇一）はアリストテレスの実践推論を現代に蘇らせ、バーナード・ウィリアムズ（一九二九～二〇〇三）は『恥と運命の倫理学』（一九九三年）等で広くギリシア哲学を論じました。アメリカでも、デイヴィドソン（一九一七～二〇〇三）がプラトン『ピレボス』をテーマにした博士論文（ハーバード大学、一九四九年）を書いたことや、マクダウェル（一九四二～）によるプラトン『テアイテトス』注釈書（オクスフォード大学出版局、一九七三年）が分析哲学的手法による最大の成果の一つであることはよく知られています。

これら分析哲学者によるギリシア哲学への関心や研究は、英米の学問教育がギリシア・ローマ古典を基盤としてきた伝統によるごく自然な結果であり、その限りで分析哲学にとってギリシア哲学との関係は他の哲学領域との関係とは異なる特別で親密なものでした。それは、例えば、東アジア哲学に分析哲学の手法を応用する分析アジア哲学や、分析美学や分析実存哲学など後発の関心とは明らかに異種のものです。

その一方で、現代の分析的手法がとおく古代ギリシアに由来する、あるいはそれをモデルにしたとの見方も時折示されます。ソクラテス、プラトン、アリストテレスは分析的哲学手法の先駆者であり、彼らの議論はそのモデルだという主張です。例えば、クリストファー・シールズ（一九五八〜）は、ソクラテスがすべての人間的な問いに対して「哲学固有のアプローチ——分析的アプローチ——を導入したと考えられている」と述べています。*この見方がアナクロニズムかどうかは議論の余地がありますが、両者の親和性や密接な関係が強く意識されてきたことは確かです。

＊クリストファー・シールズ『古代哲学入門——分析的アプローチから』（文景楠・松浦和也・宮崎文典・三浦太一・川本愛訳、勁草書房、二〇二二年）。

伝統あるギリシア哲学研究にとっても、二〇世紀半ばから分析的アプローチが導入された意義は大きかったです。その旗手とされるヴラストス（一九〇七〜一九九一）とオーエンは、それぞれ主にプラトンとアリストテレスを分析的手法で論じましたが、初期ギリシア哲学にはその二人やバーンズ（一九四二〜）らが同様の手法で解明を試みています。元来非歴史的な態度をとる分析哲学が、哲学史の一角にあるギリシア哲学研究とどう折り合いをつけてきたかは興味深い問題ですが、両者の間では、概して、分析哲学がギリシア哲学に関心向けることよりもギリシア哲学研究が分析的手法を取り入れる傾向の方が顕著でした。分析的手法を用いたギリシア哲学研究は、一部日本語でも紹介され知られています。*

＊井上忠、山本巍編訳『ギリシア哲学の最前線』全二巻（東京大学出版会、一九八六年）、ジョン・L・アクリル『哲学者アリストテレス』（藤沢令夫・山口義久訳、紀伊國屋書店、一九八五年）、J・O・アームソン『アリストテレス倫理学入門』（雨宮健訳、岩波書店〔同時代ライブラリー〕、一九九八年）等。

分析哲学者が従来避けてきた形而上学や存在論の領域を新たな対象にする近年の動向では、それらの基礎概念を作ったアリストテレスへの還帰も目立ち、「アリストテレス的分析形而上学」と呼ばれます。ですが、こちらはアリストテレスに由来する多くの概念を用いてはいるものの、アリストテレスの歴史的な研究とはかなり異なる現代独自の分析であり、論者の主要関心は古代ギリシア哲学そのものには向けられていません。＊

＊トゥオマス・E・タフコ編著『アリストテレス的現代形而上学』（加地大介他訳、春秋社、二〇一五年）等。

分析哲学を一つの哲学動向として見る時、それが世界哲学にどのように位置づけられるのか、どんな特徴で捉えられるのか、その可能性はどこにあるのかが検討課題となります。それを、ギリシア哲学研究との協働場面に焦点を当てて検討してみましょう。

2　分析哲学というスタイル

†歴史文化のスタイル

まず、「分析哲学」という呼称が広く用いられ、実質が何であれ、それが哲学のスタイルとして認識されてきたことは確かです。哲学における「スタイル」の重要性は、『世界哲学史』別巻Ⅰ第4章「世界哲学のスタイルと実践」で論じました。「スタイル」と一口で言いますが、「現象学」をフッサール（一八五九〜一九三八）が創始し、「弁証法」をヘーゲルが再定式化し、「超越論哲学」をカントが打ち立てたのとは違い、「分析哲学」には誰かがどこかの時点で明確な規定を与えたわけではありません。取り扱う問題や範囲、手法に共通の基準があるわけでもありませんが、その従事者には哲学共同体をなす動向への帰属意識が認められます。その特徴は「歴史文化、発表形式、論文スタイル、哲学動向」の四つの局面で整理されるでしょう。

第一の局面として、成立と発展の歴史文化的背景が注目されます。「分析哲学」が正確に何であれ、西洋近代哲学の一発展形態であり、近代の認識論重視から「言語論的転回

linguistic turn」と呼ばれる変化を経て成立した哲学動向であることは間違いありません。それは大陸でフレーゲらが成立させた現代形式論理学や論理実証主義と関わりつつ、最終的にイギリスやアメリカで発展した独自の形式であり、より広い文化現象とも言えます。

しばしば「英米系」という地理的・言語的形容が付されるように、ヨーロッパではドーバー海峡を隔てた非英語圏の「大陸系」哲学と区別され、対比されます。両者では問題関心から用いる術語に至るまで違いが顕著で、相互の断絶と無関心がながく続いてきました。この点では、今世紀に入って、ヨーロッパ諸国で分析哲学の手法が広汎に取り入れられるようになり、他方、カントやヘーゲルやハイデガーら大陸系の哲学が分析哲学の素材となって英米圏でさかんに論じられてきたことから、両者の間の溝は埋まりつつあります。

†発表形式のスタイル

第二の局面として、分析哲学には研究の遂行と発表のスタイルに他とは異なる特徴があり、とりわけ、発表の媒体と形式の違いが顕著です。

従来ドイツやフランスの哲学を典型として、哲学とは浩瀚な書物を著して体系的な理論を構築する営為である、とのイメージが支配的でした。それに対して、英米系の分析哲学は学術雑誌に小規模の単発論文で掲載するもので、それらが論文集に編纂されることはあっても、単行本で出版されることは多くありません。さらに、論文の数がごく限られていても研究者の間で高い評価を得る哲学者も出ていますが、そうした評価は人々が問題提起を共有して応答していくなかで確立するものです。後で触れるゲティア（一九二七〜二〇二二）の知識定義論文（一九六三年）や、クリプキ（一九四〇〜二〇二二）の講演「名指しと必然性」（出版一九八〇年）がその代表です。この二人は共に極端に寡作な研究者でした。

こうした発表形式は、広範で深遠な思索を理想とし、独自の一貫した理論体系を打ち出そうとした従来の哲学とは対照的に、ごく限定された主題で問題を鋭利に析出して示すことに力点をおく分析哲学の手法に即したものです。そこでは学説や理論の提出すら必要ではなく、問題を分析しクリアに提示することが目指されます。そして、その問題提起にどれほど多くの論者を巻き込むかという影響力が、論文の評価を決めることになります。

問題の回答すら示さないという点では、プラトン『パルメニデス』の「第三人間論（TMAと呼ばれます）」をめぐるヴラストス論文（一九五四年）が典型でしょう。ヴラストスはプラトンの中期イデア論が「自己述定」と「非同一性」という相矛盾する命題を同時に要請すると分析し、TMAのテクストはその矛盾を自覚したプラトンによる「誠実な困惑の記録」であると主張しました。その鋭利な論理分析に、ギーチ（一九一六〜二〇一三）やセラーズ（一九一二〜一九八九）といったギリシア哲学研究外の分析哲学者も参戦したのです。

†論文スタイル

第三の局面では、そうして発表される論文のスタイルが注目されます。英語圏、とりわけアメリカの教育では「明瞭であれ Be clear!」が重視され、それが分析哲学の論文スタイルにも反映しています。英語の特性を活かして同義語を使わず、くりかえしのレトリックを排除することでストレートな思考が展開されるのです。この点では、とりわけフランスの伝統と異なります。さらに、哲学説や哲学史の術語を用いない平易な言語での叙述は、独自の表現を駆使する大陸系の現象学やハイデガーやポストモダンの哲学スタイルと対照的です。概して「深さ」よりも「鋭さ」が求められています。

論文スタイルの特徴では、命題を定式化して記号を付す整理が好まれ、論理学や数学に似た見かけを与えています。論理的な言語分析の明晰化には事柄をクリアにして余分な修辞的要素に惑わされない利点がありますが、過度の単純化や図式化や固定化という危険を伴うことには注意が必要です。哲学をどんな言葉で表すべきかという、品格にかかわる美学的問題でもあります。

私の個人的な経験でも、ケンブリッジでW・K・C・ガスリー（一九〇六～一九八一）の指導を受けて大陸で活躍していたある非分析系のギリシア哲学研究者から、論文中に特殊な略号を使うこと自体、哲学の文体として相応しくない、と注意されたことを憶えています。無論、その後こういった慣習はギリシア哲学の研究論文でも当然になっていますが、例えば英語で書かれた論文とフランス語やドイツ語で書かれた論文を見ると、内容ではなく表記の様式が大きく違うという印象は今日も残っています。

分析哲学が誇ってきた形式性は、やがて既成の土俵上で競われるパズル解きの様相も呈し、大学において「ノーマル科学」を遂行する論文を産出する哲学産業を形成してきました。つまり、誰かが学術雑誌などで発表した議論を使いながら、その土俵で論点を整理して自分の立場を選べば、それが「哲学論文」になる、という誤った考え方で、残念ながら若手を中心に大学の哲学研究では広く見られるようになっています。

論理的な定式化と並んで分析哲学が特徴とする論文スタイルは、例 example の使用、とりわけ実際の歴史的事例ではなく、特殊な状況を想定した上で行われる「思考実験 thought experiment」です。哲学的な考察において科学実験にあたる思考実験を用いることは、プラトンの「ギュゲスの指輪」やデカルトの「方法的懐疑」以来の伝統がありますが、とりわけ分析哲学者は印象的で鋭利な例を提供してきました。「中国語の部屋」（ジョン・サール）、「水槽の中の脳」「双子地球の水」（ヒラリー・パットナム）、「コウモリであること」（トーマス・ネーゲル）、「トロッコ問題」（フィリッパ・フット）、「無知のベール」（ジョン・ロールズ）等々です。

この種の議論を収集してまとめたジュリアン・バジーニ（一九六八〜）は、こうコメントしています。「思考実験が役に立つのは、科学実験と同じように、重要な変数や吟味すべき特定の要因を切りとってきて、その要因が、その要因だけでどんな違いを生みだすかを検討することができるからだ」。そして、思考実験は概念や問題を明らかにするための道具であり、非現実性は気にせず、実生活を忠実に写すことを目的にしていない、*と指摘します。バジーニが収録した一〇〇の例のうち、三〇ほどは現代の英米分析系の議論から採られています。

*ジュリアン・バジーニ『一〇〇の思考実験』（向井和美訳、紀伊國屋書店、二〇一二年）、一四〜一五頁。

分析哲学は論理定式や思考実験といった自然科学に類似の方法を用いる一方で、伝統的な哲学テクストを読解してそこから問題を切り出すことには関心を向けませんでした。その例外が古代ギリシア哲学の一部のテクストであり、プラトンでは論理定式化により明晰化が図られた『パルメニデス』『テアイテトス』『ソフィスト』など過渡期・後期対話篇が焦点となりました。しかし、プラトン研究においては、そうして対話の一部を命題として切り離して論理定式化する議論が、元来の対話篇の思考にそぐわないとの反省もくりかえし表明されています。

†哲学動向としての特徴

以上の特徴を踏まえて、第四の局面では、分析哲学の哲学的傾向が次の五点にまとめられます。

①論理・言語との親和性が分析哲学に強い理論性をもたらしています。分析哲学は、言語・概念の分析を通じて世界のあり方と真理を提示する、あるいは、哲学的問題を解消することを目指すものです。

②理論体系の構築を目指さず、問題の解明に徹します。その限りで、問題点を明らかにしてクリアにすることが最大の目標となります。

③論理実証主義からの影響から、形而上学的な議論を回避する傾向があります。この点では近年に大きな転換があり、現在では分析形而上学という領域が盛んに論じられています。

④哲学史や特定の哲学者に依拠しない普遍的な考察であり、現代の哲学として非歴史性を特徴としていました。哲学史へのこの態度にも近年変化が見られます。また、分析哲学自体がどのような進展を遂げたかという哲学史的関心が生じていますが、そういった哲学史研究が分析哲学に含まれるのかは不明です。

⑤概して政治や社会の実際の問題には関心を寄せず、普遍的で抽象的な理論関心が中心です。特定の社会で分析哲学に従事することが政治的な意味合いを帯びることはありましたが（中南米など）、分析哲学そのものの関心は非政治的で非実践的でした。この点もマルクス主義や実存主義など、二〇世紀の他の哲学動向と対照的です。

†ゲティア問題

こうして特徴づけられる分析哲学の典型例が、アメリカの哲学者エドムント・ゲティアが一九六三年に発表した論文「正当化された真なる信念は知識か？」[*]です。注を入れて一〇〇〇語に満たない、二頁半ほどの論文ですが、『アナリシス』誌ではこの論文が際立って短いわけではありません。

＊Edmund L. Gettier (1963). 'Is Justified True Belief Knowledge?', *Analysis* 23-6, 121–123.

ゲティアの論文は「ある命題を知る」ことの必要十分条件を示す一つの定式を与え、それと同型の規定を与えていたチザム（一九一六～一九九九）とA・J・エヤー（一九一〇～一九八九）の主張を並記します。そして最初の定式が成り立たないことを示す二つの具体例を挙げることで、それら三つの規定を共に退けるという形式をとります。

第一の例は、就職することと硬貨を持つこと、第二の例は、フォード車を持っていること別の誰かがどこかにいること、という身近な場面を想定した論理的な思考実験です。問題は一見して明らかなように、「正当化する justify とは何か」、それが「知る know を保証するか」に向けられています。

この短い論考は、その後の知識論を牽引する先鋭な問題提起となりました。とりわけ、ゲティアが自分の定式に、「プラトンはなんらかこのような定義を『テアイテトス』二〇一で考察し、おそらく『メノン』九八で受け入れているようである」という注を付したことから、古代ギリシア哲学の研究者たちを論争に深く巻き込んだのです。コーネル大学でノーマン・マルコム(一九一一〜一九九〇)の指導を受けたゲティアは、ラッセルをはじめとする現代認識論の研究者で、古代哲学への独立の考察はないようです。彼のプラトンへの言及は、この知識定義の試みが古代から続く難問であることを示す点にありました。ゲティアが言及したプラトンの二つのテクストでは、ソクラテスが若者との対話で「知識とは何か」を探究しています。

†プラトンの知識論

『メノン』では「徳は教えられるか」という問題の探究の終盤で「知識」と「正しい考え」の区別が導入され、両者が有益性の点では同等の役割を果たすと語られます。そこでソクラテスは両者の違いについて、伝説の彫刻家ダイダロスを比喩に出しつつ、「考えを原因の推論的思考によって縛り付け」魂から抜け出せないようにしたものが「知識」となり、永続性を得ると説明します（九八A）。この説明は「知識」と「考え（ドクサ）」の違いを強調しつつ連続性を示すように解され、「正当化された真なる考え」に類似した言い方となっていますが、その内実は不明であり、ゲティア問題に対する回答は示していません。

他方で、『テアイテトス』は「知識とは何か」を直接問い、三つの主な定義を批判的に検討する対話篇です。第三の定義は「言論を伴った真なる考え」で、それは「真なる考え」と知識を同一視して却けられた第二定義の修正版です（二〇一C〜D）。第三定義はそこに含まれる「言論（ロゴス）」の意味の検討を通じて最終的に却けられますが、定義そのものは有望な候補としてプラトンの回答を示すと考える研究者もいるのです。

ここでさらに問題となるのは、両篇の中間に位置する『ポリテイア』第五巻の議論でしょう。哲人統治論の提示にあたり「哲学者」を「イデアを知る者」と定義する文脈で、ソクラテスは「知識」は「ある」を対象とするが、「考え」には真偽の区別があり、その対象は「あり、かつ、ない」ものだとして、両者を区別します（四七六E〜四八〇A）。「知識、考え」が二つの異なる能力として異なる対象に関わるという区別の基準は、ゲティアが問題化した知識の定義を根本から否定する考えです。つまり、知識が知る対象（つまりイデア）と考えの関わる対象（感覚物）が別である以上、後者にどんな説明を加えて正当化を行っても、けっして前者にはならないのです。

これらの対話篇をどう理解するか、また『メノン』と『テアイテトス』の間でプラトンが立場を変えたかどうかは、ギリシア哲学史の研究者にとっては大きな問題ですが、「知識とは何か」という現代の哲学問題とは別であり、プラトンが正しい答えを出していると は限りません。何よりも、それらの対話篇は共に「知識」をめぐる探究でアポリアー（行き詰まり）に終わっており、考察と回答は読者に委ねられているのです。

『テアイテトス』第三部の帰趨を文字通りに受け取れば、プラトンもゲティアと同様に「正当化された真なる考え」は「知識」にはならないと考えていたと見做すのが蓋然的ですが、別の多くの可能性もあります。プラトンがそこで示唆した「知識」の定義は、修正によって受け入れ可能になる有望な提案だったという見方もできますし、「言論を伴う真なる考え」という一見ゲティアの定義と重なるプラトンの提案は、実質ではまったく異質な内容だと解釈すべきかもしれません。なにより「知識（エピステーメー）」という概念が、現代の「ナレッジ knowledge」とは異なり「理解、アンダースタンディング understanding」を意味するという解釈もあります（私の師バーニェットが唱えました）。

プラトンが中期対話篇で示したイデアの知識論との関係も含めて、ゲティアが現代認識論で提起した問題は、回り回ってプラトンが問うた探究の現場へと私たちを引き戻したのです。

3 日本における革新的動向

†分析哲学と日本、日本語

分析哲学は英米圏で主要な哲学となり、そのため英語による議論が一元的に通用してきました。分析哲学者の間では、分析が概念をめぐる論理である以上、考察で用いる自然言語の違いは何の差異ももたらさないと考えられてきました。具体的には、議論の俎上に載せられる事例がアメリカなどの文脈のものであり、分析の対象となる概念は英語、さらに命題や用例も固有名も英語のものです。日本語で書かれる分析哲学の論文では、それらの議論は一応日本語に訳されていますが、例はほとんど元のままで使われ、意味が通らない場合は英語に戻って考えることが要求されます。そうして、日本において日本語で哲学しているとは思えない状況さえ生じています。

そういった言語の違いや多様性を無視する分析哲学の有効性、および無反省な英語依存に、日本では一定の疑問も投げかけられています。例えば、飯田隆（一九四八〜）は、日本語による分析哲学を意識し、日本語の論理を分析しています。[*]

＊飯田隆『日本語と論理』（NHK出版新書、二〇一九年）、および『分析哲学　これからとこれまで』（勁草書房、二〇二〇年）参照。

†大森荘蔵による分析哲学の導入

日本に分析哲学が導入されたのは二〇世紀後半ですが、その経緯はおそらく単線では辿れません。東京大学で最初物理学を専攻し戦後に文学部哲学科に進んだ大森荘蔵（一九二一〜一九九七）は、一九五〇〜五一年にオハイオ州オベリン大学（クワインの出身校）に留学し、アメリカの分析哲学を本格的に学んだ最初の哲学者でした。帰国して東大駒場で科学哲学の職を得てから、一九五四〜五五年と一九六四〜六五年にスタンフォード大学とハーバード大学、一九七三〜七四年にプリンストン大学で在外研究し、沢田允茂（一九一六〜二〇〇六）、中村秀吉（一九二二〜一九八六）、吉田夏彦（一九二八〜二〇二〇）らと共に、日本で当時支配的だった大陸系の形而上学的哲学に批判的な新たな哲学動向を推進しました。

戦後にアメリカ合衆国から文化使節として派遣され、その後多くの日本人哲学者と交流を持ったモートン・ホワイト（一九一七〜二〇一六）夫妻の伝記から、大森がこの動向の中心にいたことが分かります。[*] プラグマティズムを含むより伝統的なアメリカ哲学を代表するホワイトとは別に、大森や吉田らは一九五九年にクワインを日本に招いて分析哲学そのものを積極的に導入していきました。ですが、ホワイトの回想を見る限り、大森は英語が堪能であったにもかかわらず自身の哲学の発信はほとんど行っておらず、分析哲学をめぐる米英と日本の関係は、教授と受容という一方向的なものだったようです。

*モートン&ルシア・ホワイト『日本人への旅』（大江正比古訳、思索社、一九八八年）参照。

大森荘蔵の分析哲学はけっして英米議論の後追いや紹介ではなく、「大森哲学」と呼ばれる独自の考察に満ちた魅力的なものであり、後の世代に与えた影響はきわめて大きいと言えます。その意味で、日本における分析哲学の展開は大森哲学の評価にかかっており、すでに弟子たちによる考察が出ています。[*]

*野矢茂樹が二〇〇七年に公刊した『再発見　日本の哲学　大森荘蔵――哲学の見本』（復刊、講談社学術文庫、二〇一五年）等。

弟子の一人である飯田隆は、生誕一〇〇年の記念にあたり、一九六八年刊の論文「物と知覚」を取り上げてこう評しています。大森の記述の説得性は「レトリックにすぎない」との考えもあるが、それは選ばれた例が印象深く、描写に使われる言い回しが適切で、さらに「記述の全体を通じて何となく漂う上機嫌なユーモア」があるからである。こうした要因は、「大森の哲学的「散文」の大きな魅力を形作っているのだが、それが逆に、大森の哲学を正当に評価する妨げになっているという気も、私にはする」*と述べます。飯田のこの指摘が興味深いのは、分析哲学は厳密な言語・概念分析であってレトリックとは無縁であるという神話が広まっているからです。しかし、クワインでもアンスコムでもデイヴィドソンでも、それぞれの哲学を特徴づけるレトリックがあり、その功罪には批判的で慎重な検討が必要なはずです。「立ち現われ」「重ね描き」など独特の日本語を駆使した大森哲学の意義も、スタイルの側面から再検討が必要でしょう。

*飯田隆「物と記号」『現代思想　特集：大森荘蔵、生誕一〇〇年』(二〇二一年一二月号)。

†黒田亘の分析哲学

大森荘蔵とその門下以外でも分析哲学に携わる研究者は数多く出ましたが、イギリス・アメリカで活躍した石黒ひで(一九三一～)を除くと、国内で影響力があった代表は熊本大学、九州大学を経て一九七二年に東京大学文学部に着任した黒田亘(わたる)(一九二八～一九八九)でしょう。飯田は、黒田の東大本郷哲学講座への着任を「分析哲学」という呼称が日本で定着した象徴的な出来事と見做します。西洋哲学史に通暁していた黒田が、科学哲学や論理実証主義が色濃すぎた従来の分析哲学のイメージを変え、より広い受容と展開を促したのです。

自然科学や論理学から出発した大森や沢田や吉田とは異なり、マックス・シェーラー（一八七四〜一九二八）らの研究から出発した黒田を英米哲学へと導いたのは、岩崎武雄（一九一三〜一九七六）でした。カント研究で知られる岩崎は英米倫理学に関する著作を著し倫理学研究の基盤としましたが、岩崎による英米倫理学の紹介は分析哲学よりも広範囲に関心が及び、行為や規範を問題にする黒田はその視野で学んだのです。

すでに触れたように、分析哲学は一般に哲学史を対象とせず特定の哲学者や哲学テクストの分析はしませんが、英米の哲学伝統ゆえ古代ギリシア哲学とは特別のつながりを保っており、双方向での影響は徐々に日本でも浸透していきました。東大駒場の同僚であった大森荘蔵と井上忠（一九二六〜二〇一四）など、国内でも両陣営の人的な交流はありましたが、哲学の場面で切り結んだ貴重な例として黒田と井上との対話が挙げられます。同世代の二人は駒場で一九七二年から始まった「金曜哲学会」で大森らを交えて議論する仲でしたが、東京大学出版会から一九七三年に刊行された山本信（まこと）（一九二四〜二〇〇五）編集の『講座哲学1　哲学の基本概念』で対となる論文を寄稿し、討論を行っています。

†ギリシア哲学と分析哲学の交わり

古代ギリシア哲学に分析哲学を取り入れた最初の代表的研究者は井上忠で、彼より年長の出隆（一八九二〜一九八〇）、田中美知太郎（一九〇二〜一九八五）、斎藤忍随（一九一七〜一九八六）や、同輩の今道友信（一九二二〜二〇一二）、藤澤令夫（一九二五〜二〇〇四）、加藤信朗（一九二六〜）、松永雄二（一九二九〜二〇二一）らは、それぞれ共感に温度差はあっても、分析的な手法を直接用いることはありませんでした。

斎藤は一九七八年に発表した論文「第二次大戦後のプラトン研究——新バーネット・テイラー説」で、ヴラストスの「第三人間論」やオーエンの『ティマイオス』の位置づけ論文などを詳細に紹介し、こう評しています。「分析哲学と古典文献学（Classical philology）との接触融合が、かってないほどの大きな研究者の共同空間を出現させたかのように見える」*。斎藤は自分もそれらの論文から大きな刺激を受けたと告白し、「分析哲学的な、あるいはオックスフォード学派的なギリシア哲学的研究はあらたに多くの実りをもたらしてくれたことは、疑いようがないだろう」**と述べていますが、自身は大陸系の古典文献学と哲学史という枠組みから離れることはありませんでした。

＊斎藤忍随「第二次大戦後のプラトン研究——新バーネット・テイラー説」（初出一九七八年）、

『幾度もソクラテスの名を　II　1966～1986』（みすず書房、一九八六年）、六九頁。

＊＊同一二二頁。

井上は彼の前期哲学の頂点にあたる論文「イデアイ」を発表した直後の一九六七～六八年に、アメリカ合衆国に留学しました。[*] 大森荘蔵のサポートで、日本とも縁が深かったモートン・ホワイトが学部長代理として迎えてくれました。井上が在外研究でハーバード大学に行ったちょうどその時期に、ヴェルナー・イェーガー（一八八八～一九六一）以降空席となっていた古代哲学教授ポストにG・E・L・オーエンが着任しました。井上はその出会いを「現在、ギリシア哲学研究の全分野を一新し、従来の哲学「史」の枠を見事に解消して、古典と現代を哲学の同時代性において打通しつつあるオーエンとの出会い」と呼びます。それは、同じアリストテレス『形而上学』のテクストを読んでまったく理解外の議論をする四歳年上の分析系ギリシア哲学研究者への驚きでした。

＊井上忠の哲学、とりわけプラトンの関わりについては、納富信留「出で遭いへの言葉——井上忠との哲学」、『根拠・言語・存在』（哲学会編哲学雑誌一三一巻八〇三号、有斐閣、二〇一六年）参照。

井上の衝撃体験は、それ以前の「私哲学」と呼ぶ内省的な深みから、共同討議による「われわれ」という公共地平へという哲学の転換をもたらしました。黒田との討論は、オーエンとの鮮烈な出遭いを結実させる重要な契機となったのです。

†黒田亘と井上忠の議論

『講座哲学1　哲学の基本概念』は四つの主題で二つずつ論文を並べ、それについて討論を付す形式で編集された哲学論文集です。編者の山本信はその手順について、「それぞれの主題について、まず一人が論文を書き、その原稿を次の人が読んだ上で自分のものを書き、それからさらに別の人を加えて、皆が読みあった二つの論文を中心に討論する、というやり方である」と説明しています。「形相と質料」と題された第二部で、黒田亘がまず「形相認識と経験」を書き、それに応える形で井上が「「このもの」とは何か」を示した上で、編者と著者たちに分析哲学者の中村秀吉を加えて討論がなされました。*

*黒田亘「形相認識と経験」『講座哲学1　哲学の基本概念』（山本信編、東京大学出版会、一九七三年）、八九～一一二頁（『経験と言語』東京大学出版会、一九七五年、一三八～一六二頁）、及び、井上忠「「このもの」とは何か――黒田亘氏「形相認識と経験」に応えて」『講座哲学1　哲学の基本概念』一一三～一四〇頁（『哲学の現場――アリストテレスよ語れ』勁草書房、一九八〇年、七三～一〇〇頁）。

黒田の論文は、私たちが生きる世界でものが変化する様をどう経験し記述するかという問題から始まります。アリストテレス『自然学』第一巻の基本考察を踏まえて、「質料・

形相」という枠組みが「主語・述語」によって析出されますが、それは特定言語の文法構造から固定されたものではなく、「指示・叙述」という言語そのものの成立条件に支えられたものです。「アリストテレスは述語の体系によって秩序づけられたひとつの論理的空間のなかで、すべての生成変化を考察した」として、ウィトゲンシュタイン『論理哲学論考』(三・四〜三・四二)に結び付けます。その上で黒田は、性質変化・増大減少・場所移動とは根本的に異なる生成消滅という実体の変化について、その質料と形相の関係は「類比」においてしか語り得ない、というアリストテレスの発言こそ追究すべきとします。区別されるべき二つの次元のうち、付帯性の変化と述語づけは経験的諸科学を成立させる知識の構造ですが、その知識を全体として可能にする究極の根拠を明らかにさせようとする探究は、ストローソン(一九一九〜二〇〇六)が『個体性』(一九五九年)で目指した「記述的形而上学」の構想とも重なる「ひとつ(一つ)のものとして存在することの根拠」の探究でした。

黒田が「豊饒な低地」と呼ぶ「経験」は、まさにアリストテレスが哲学を展開させた地平であり、黒田自身が批判的に再構成させようとした経験主義の基盤であり、英米分析哲学が古代ギリシア哲学に注目する際の共通の土台でした。「ものの一定の相貌(physiognomy)を端的にとらえる視覚的経験」こそ大切だとする黒田は、反転図型の経験がアリストテレスにおける生成消滅の変化にあたるとします。対象と内容を区別できないこういった普通の経験は、一つのものの個別化の場面を示します。黒田は、様々な理論的先入見から抜け出て「根拠の探究に徹するということは、じつにきびしい課題なのである」としつつ、「形相・質料をめぐる古典的な思索は、われわれの解明すべき根源的事態の所在をきわめて精確に示していたのではないか」と述べます。私たちが言葉によって実在の相貌に反応するのは「分類」する言葉であり、「形相・質料は一貫して言語の問題である。この両概念をめぐる哲学的問題のすべては、「ことば（言葉）をもつ動物」という人間存在の根本規定を中心に統合され、照明されねばならぬ」と結んでいます。

井上はこの論考に大いに刺激されて自身の論文を対置させましたが、黒田への応答として書かれたその論文を、後年の主著『哲学の現場』で「新しい途の第一歩」と記します。井上が黒田から得た刺激と着想は、まずアリストテレスの「類・種の述語」が分類の言葉として機能するという洞察にありましたが、それにもまして、黒田がこだわった「このもの」という問題への共感にあります。井上は論文の冒頭で黒田の論旨を「L_1による実在分析が、実はその根本においてL_2に根ざすことの強調にある」という表現でまとめ、「黒田氏の提案を承けて、アリストテレス自身の「このもの」理解を検討しながら、それを手掛かりに、氏の形相・質料問題解明の努力に協力したい」と宣言します。L_1はのちに〈述べ〉、L_2は〈摑み〉と井上が呼ぶことになる言語地平です。
その後になされた二人を囲んだ討論で、井上はまず黒田が現代哲学のあらゆる守備範囲でアリストテレスの問題を解いていることを称賛しつつ、二つの論点を追加します。「このもの」をめぐってアリストテレスがさらに考察している点があること、およびアリストテレスの「形相」との関係でプラトンの「イデア」を考慮する必要があることです。後者は「美しい」という、後に井上が〈立ち現われ〉と呼ぶ言語の場面です。渡米前の前期井上哲学はプラトンの「イデア」に向き合う思索であり、その結実が論文「イデアイ」でした。その段階を乗り越えるために、井上はアリストテレス哲学から問題の本質を抉り出そうとしていましたが、言語・論理の分析哲学への接続がその新たな途を指し示したのです。それ以後の後期井上哲学は、もっぱらアリストテレスに定位し、プラトンを〈こころ〉の言葉の自閉性として批判するようになります。

ここには、井上が終生こだわった「このもの」という「個」の問題があり、黒田がその問題に見事に切り込んだ、と井上は感じたのです。討論で井上は、「目の前にあるこの人に出遭うということ、そこに披ける近みが非常に意義がある」という視点を強調します。それを捉えるのが、黒田が「類・種の述語」と呼び、井上が「分類の言葉（L_2）」と呼ぶ、後の〈摑み〉であり、論文では「それは、われわれが本質の現存に出遭って、その出遭いを「これ」と標示しうる場面である」と語られます。ここには、おそらく伝統的なギリシア哲学研究では迫りきれなかった「根拠」の問題に、分析的アプローチが切り込むことへの期待と見通しがあり、背景にはオーエンによるアリストテレス『形而上学』Z巻の解釈が意識されています。ただし、分析哲学の立場から討論に加わった中村秀吉は、黒田にも井上にも理解を示さず、分析哲学で「形相、質料」という概念はほとんど出てこないと指摘しています。

†アリストテレス解釈の刷新

黒田と井上の二つの論文は、分析哲学と古代ギリシア哲学という二つの研究分野をまたぐことで、哲学の問題として「形相」を改めて析出しました。「形相・質料」の対は、言うまでもなく、アリストテレスが確立して以来、古代・中世・近代から現代まで存在論・認識論の基本となってきた西洋哲学の伝統的概念で、黒田が論じるカントやフッサールもこの概念を駆使し、黒田が最終的な関心を寄せるアンスコムの行為分析にもつながっています。こうして、アリストテレスに立ち返りつつ「いま、ここで、これ」を捉える哲学を再生させたのが、二人の考究でした。

井上はやがてこの「形相」の言語機能を〈種〉（通称「やまたね」）と呼び、「このもの」

を捉える分析の切り口としていきます。プラトンが「イデア」とほぼ同義に用いた「エイドス」「ゲノス」を、アリストテレスは「形相・種」と「類」という概念に区別することで形而上学を確立しました。井上はアリストテレスによるプラトン批判を自ら辿り直すことで、両者が対決した問題に挑みました。そして「経験主義」を批判的に再構成しようとする黒田に、井上はアリストテレスという哲学の現場で出遭ったのです。

その後、井上の強い影響のもとで古代ギリシア哲学に分析的手法を用いる研究者が輩出し、日本の学界の一つの潮流となりました。その豊かな成果は、黒田や大森ら日本の分析哲学者との対話に支えられていたのです。

4 分析哲学という未来

†分析哲学の隘路

近年の分析哲学の業績を傍から眺めていると、仲間内での閉鎖的な知的ゲームの様相が濃く感じられ、率直に言って、私には哲学としての意義をあまり見出せません。それ以上に、過度に限定された範囲での図式的な論争には誤謬や疑似問題の疑いすら抱きます。学界においてノーマル科学として安定化した分析哲学は、もはや問題提起という役割を果たしていないかのようです。ですが、分析哲学が本来持っていた力を新たに活かすことが、現在の私たちの哲学には必要です。

また、近年新たに展開されている分析形而上学、分析実存哲学、分析マルクス主義、分析美学、分析アジア哲学といった領域横断的な関心が、分析哲学の強みを発揮させつつ具体的な知見をもたらす可能性を示唆しています。かつて純粋な哲学理論として研究されていた現象学が、今日では医療現場や環境問題やフェミニズムなどに適用され、その汎用性によって哲学の可能性を拡張しているように、分析哲学も新たな挑戦で視野を広げる時でしょう。

†未来を志向する

飯田隆は論文集『分析哲学　これからとこれまで』（二〇二〇年）の序論で、「分析哲学の未来」について補足しています。そこでは従来の科学との連携に留まらず、例えば、日本文学を対象とする分析哲学の考察や、哲学スタイルの分析などの課題が挙げられます。飯田が示唆するように、分析哲学が哲学そのものであり、それが哲学のデフォルトになることで流派意識がなくなるという希望も一部に残っています。しかし、私はその逆で、ある時代の哲学の手法がどれだけ普遍化しても歴史や枠組みや前提の制約から免れない以上、むしろそれを意識して相対化することが大切だと考えています。ギリシア哲学も無論ある意味では端的な「哲学」でありますが、にもかかわらず、それが古代インドや中国や近現代の多くの哲学動向と異なる思考法をとっていることも確かです。現代の分析哲学も同様であり、反省なしに端的な「哲学」とすることは僭称であり、不当な一元支配でしょう。

他方で、分析哲学が自己の営みについて反省の意識を持つ時、それが特定の仕方で思索を遂行する哲学者本人の思考を縛るものであってはならず、むしろそれを自覚的に超え出させるものでなければなりません。分析哲学の未来は、世界哲学の一つの基軸として、それを発展させることにあるのではないでしょうか。それは確かに、私たちの哲学の未来となるはずです。

第7章
東アジア哲学への視座

1 「東洋哲学」の試みと挫折

†『世界哲学史』の不均衡

ちくま新書『世界哲学史』を編集し、刊行された全九巻を見渡してみると、「世界」と銘打っていても明らかに不備や不均衡が残っていると認めざるをえません。従来の「西洋哲学」に当たる古代ギリシア以来のヨーロッパ哲学を扱った章が圧倒的に多いことです。

大まかな数字を挙げてみましょう。総論や一般主題を除き、地域を扱った八二章のうち、西ヨーロッパが三七章、北アメリカが三章で、西洋哲学が半数に近い計四〇章を占めます。残り四二章のうち東アジアの地域は相対的に手厚く、中国関係が一〇章、朝鮮が一章、日本が一〇章で計二一章です。全地域を万遍なくというのは無理だとしても、ヨーロッパと北アメリカの「西洋哲学」の比重が高すぎる感は否めません。しかも、時代が下るに従ってその傾向は強くなります。『世界哲学史』を編集するにあたり、こうした欠点は当然予想されてできるだけ考慮と対応はとってきましたが、現時点では已むを得ない事情もあります。

「哲学史」と言うと通常「西洋哲学史」が連想されます。中央公論新社から二〇〇七～二〇〇八年に全一二巻と別巻で刊行された『哲学の歴史』という包括的シリーズは、名前とは異なり「西洋哲学」しか扱っていません。私自身が檜垣立哉（一九六四～）、柏端達也（一九六五～）と編集した『よくわかる哲学・思想』（ミネルヴァ書房、二〇一九年）も、哲学史のパートは西洋哲学と近代日本哲学だけを収めています。

わざわざ「西洋哲学」と呼ばなくても「哲学」と言えばそれを指すことが、長らく前提されてきました。一八世紀以来、ヨーロッパと北米の哲学については、時代の変遷に合わせた図式と流れが「哲学史」として確立してきたからです。つまり、古代、中世、近代、現代という時代区分と地域ごとの関係です。西洋哲学史はその枠組みにおいて、通時的な叙述が可能となっています。

対照的に、それ以外の地域については連続的な発展が描かれることは少なく、西洋哲学に拮抗する哲学史はほとんど存在しません。中国については、諸子百家から現代まで、諸々の段階で一貫した流れが叙述可能ですが、それでも近現代までを含んだ通史は多くありません（本書でも紹介するアンヌ・チャンと中島隆博の著書は例外的です）。また、インドについては、古代の後、イスラームが入りイギリス植民地になる過程を連続する視点が確保できていません。イスラーム哲学についても、西洋スコラ哲学に影響を与えた一三世紀頃までは論じられるものの、その後は哲学史から抜けてしまいます。そうして、世界哲学史を描こうとしても、どうしても西洋哲学史が中心にならざるを得ないのが現状なのです。

この状況を打破する、あるいは補正するには、西洋以外の地域ごとに哲学とその伝統を広い視野と長い時間スパンで捉え直す必要があります。それらを合わせて、相互の関わりを見据えた時に、初めて「世界哲学史」が形をとることでしょう。

†「西洋哲学／東洋哲学」の対比

世界規模での哲学の捉え方では、従来「西洋哲学」と「東洋哲学」との対比があり、私たちはしばしばその枠組みで考えてきました。

近代日本では、とりわけ西田幾多郎ら京都学派で「東洋的思惟」が論じられました。例えば、下村寅太郎（一九〇二～一九九五）はこう論じています。*精密・厳密に概念を規定する西洋哲学に対して、「一般に東洋の思惟の仕方は言語によらぬ思惟、言語を否定する思惟」であり、「もし東洋哲学なるものがあるとすれば、その独自性は成文化された思想に求めるよりはむしろ言説的表現を排除し否定する底の思惟にこそ求むべきであろう」。

＊下村寅太郎「日本の近代化における哲学について」筑摩書房『現代日本思想大系』第二四巻「解説」一九六五年（藤田正勝、ブレット・デービス編『世界のなかの日本の哲学』昭和堂、二〇〇五年再録）。

下村は、「東洋文化」の問題に関心を寄せた西田幾多郎の哲学を評して、「西欧的思惟を通して、西欧的思惟自身によって、西欧的思惟を突破せしめるのであり、それにおいておのずから東洋的思惟が自覚されるのである。これを突破せしめるものがほかならぬより自由な東洋的思惟である」と述べています。近代化を進める日本では、「西洋」に対抗する「東洋」の文化・思想の構築が大きな課題だったのです。西田が東洋文化の問題に言及したのが、一九二七年刊『働くものから見るものへ』「序」が最初であると、藤田正勝（一九四九〜）が指摘しています。＊

＊藤田正勝「日本文化・東洋文化・世界文化——西田幾多郎の日本文化論」、藤田正勝・卞崇道・高坂史朗編『東アジアと哲学』（ナカニシヤ出版、二〇〇三年）。

西洋の「哲学史」は、古代哲学、中世哲学、近代哲学、現代哲学と並べられ、ヘーゲルの哲学史はそれを精神の展開として論じました。これに対して、「東洋哲学」の側には

「東洋哲学史」といった統一的な書籍や議論はほとんど目にしません。もし「東洋哲学」という枠に「中国哲学、インド哲学、朝鮮哲学、日本哲学、アラビア哲学、東南アジア哲学」が含まれるとしたら、地域ごとの哲学伝統を章ごとに並べることはできても、それぞれ別々の哲学史になり、一つの哲学史にはならないからでしょう。あるいは、「儒教哲学、老荘哲学、仏教哲学、神道哲学、イスラーム哲学、ヒンドゥー哲学、ユダヤ哲学」といった宗教ごとの哲学が立てられるかもしれませんが、それらを統一して「東洋哲学」を論じるのは、非常に無理があるように感じられるからです。

しかし、下村の引用で見たように、以前は「東洋哲学」が「西洋哲学」との対比で頻繁に取り上げられていました。ヘーゲルの哲学史では、シナ哲学（中国哲学）とインド哲学からなる「東洋哲学」が西洋哲学の前に置かれながらも、哲学史の本体からは除外されています。

最初の哲学は、いわゆる東洋哲学である。しかし、それは我々の講義の本論には属さない。それは前座をつとめるものにすぎない。我々がそれについて論ずるのは、何故に我々がそれを立入って問題としないか、またそれが思想に対して、真の哲学に対して如何なる関係にあるかについての弁明のためである。（ヘーゲル『哲学史序論――哲学と哲学

史』武市健人訳、岩波文庫、一九六七年、二〇七頁）

現在から見ると無知による偏見としか言いようがありませんが、この講義がなされた一九世紀初めより前には、ライプニッツ（一六四六〜一七一六）やクリスティアン・ヴォルフ（一六七九〜一七五四）のようにヨーロッパの哲学者たちが中国哲学に注目した時代もあったことを記憶しておきましょう。*

＊中島隆博『中国哲学史』第15章、および井川義次『宋学の西遷——近代啓蒙への道』（人文書院、二〇〇九年）参照。

西洋哲学については「（西洋）哲学史」、正確に言えば、古典古代（ギリシア・ローマ）をつねに参照しつつ、キリスト教の基盤の上にアイデンティティを確保する「ヨーロッパ」の伝統があり、今日までの「西洋」の枠組みを形作ってきました。他方で、その「西洋」との対比で語られてきた「東洋（オリエント）」が、果たして一つのまとまりで括られるのかは大いに疑問です。エドワード・サイード（一九三五〜二〇〇三）が一九七八年に公刊した『オリエンタリズム』（今沢紀子訳、平凡社ライブラリー）によってこの問題が明瞭化され、今日ではその誤りが広く認識されています。

一九世紀半ば以降本格的に「西洋哲学」を取り入れて、そのスタイルでの思索と研究を展開してきた現代の東アジアでの哲学を「東洋哲学」と称するのも、二重の意味で問題があります。第一に、西田幾多郎、田辺元（一八八五〜一九六二）ら日本近代の哲学者たちは、西洋哲学を基盤に独自の哲学を展開しました。第二に、ここで「東洋」はあくまで「非西洋」という否定形で捉えられているのです。否定の捉え方が問題なのは、「外人」が日本人以外を区別なく含む例から分かります。

また、「西洋哲学／東洋哲学」という二分法をとると、その境界をどこに引くのかという問題に加えて、それ以外の地域、あるいはその狭間をどう扱うかという問題にも直面します。キリスト教の正教会（オーソドックス）の影響下で展開されたロシア哲学は、いわゆる西洋哲学からは異質な東洋的な神秘主義と見なされてきました。しかし、それは果たして「東洋哲学」と呼べるのでしょうか。さらに、近年注目が集まるアフリカ哲学（本書第5章）や、ネイティヴ・アメリカ哲学は両方から外れる第三の位置づけになりますし、西洋哲学が移植された中南米哲学をどう扱うのかも悩みどころです。世界哲学はこの難点を克服する試みです。

井筒俊彦の「東洋」理念

「東洋哲学」という理念を二〇世紀後半に打ち出したのは井筒俊彦です。井筒は晩年の主著『意識と本質』（岩波書店、一九八三年）で「精神的東洋を索めて」という副題を付して「東洋」を打ち出しました。カナダ・マギル大学やイラン・王立哲学研究所といった海外機関で研究を重ね、「エラノス会議」の常連参加者だった井筒は、とりわけイランから帰国した後に「東洋」を打ち出す論考を出しました。一九三三年以来、世界の著名な哲学者・宗教家らが毎年スイスの湖畔に集った「エラノス会議」では、エリアーデ（一九〇七〜一九八六）やアンリ・コルバン（一九〇三〜一九七八）ら参加者らが「東／西」の乗り越え、「哲学」の融和統合といった問題を議論していました。西洋的パラダイムの破綻から生じた「世界文化の危機」を前に、東洋哲学の伝統こそ「未来的文化パラダイムの探求」という役割を担うというそこでのアイデアを、井筒は自覚的に引き受けていたのです。

井筒が打ち出した「東洋」は、単に地理的な区分ではありませんでした。井筒によると、それはペルシアの神秘哲学者スフラワルディー（一一五四頃〜一一九一頃）が言う「東洋（マシュリク）」、つまり「黎明の光」がさしそめる場所のことであり、哲学（イシュティシュラーク）とは精神の「東洋」を探求することでした。*

＊この思考を展開した斎藤慶典『「東洋」哲学の根本問題　あるいは井筒俊彦』（講談社選書メチエ、二〇一八年）参照。

井筒は回想で、若き日に自身と家庭の「東洋」的雰囲気に自覚的に向き合うなかで「西洋」と出会った体験を語りますが、その後は次第に「東洋」という枠組みを解体し、それを新たな理念に展開し深化させました。自身が専門としたイスラーム、とりわけスーフィズムの哲学を介して、インド哲学や中国哲学から日本文化に至る道を見据えつつ、共時的な東洋哲学を打ち立てる構想を進めたのです。

それゆえ、井筒の「東洋哲学」は、本来は「西洋哲学」に属し、その古典とされる古代ギリシア哲学を含むことになりました。「東洋」を見据える井筒にとって、最初期の著作『神秘哲学』（一九四九年）以来、ギリシアは原点であり、ギリシア神秘哲学を通じた「西欧哲学の脱構築」こそ、「東洋」を新たに論じる基盤でした。井筒は晩年、生き生きしたギリシア哲学の流れに、「東洋的」と言える特徴、すなわち「情意的（パトス）・「心（プシュケー）」的、な主体性の哲学の典型的な顕現」を見ており、古代ギリシア哲学を「東洋古典」に含める計画を進めていたのです。

井筒のこの概念は、無論通常語られる「東洋」ではありません。むしろ「東洋」と呼ばれるものの中の多様で異質な思想潮流、その弁証法から「東洋哲学」が発生したと、井筒は考えていました。興味深いのは、こういった「西洋／東洋」のズラシは、西洋の学者にとっては容易には認めることができない、彼らのアイデンティティに触れる問題を孕んでいたことです。つまり「古代ギリシアは東洋だ」とは、欧米の研究者がけっして受け入れない命題だったのです。

†「東洋／西洋」の対比を超えて

井筒が構想した新たな「東洋哲学」は、けっして従来のように「西洋」との対抗をくり返すものではなく、むしろ西洋哲学の下で失われた、あるいは見えなくなっている哲学性を、「東洋」の名の下で取り出そうという試みでした。しかし私は、従来の「西洋／東洋」という枠組みから出発していては、その解体や脱構築によってすら「世界哲学」は構築できないと考えています。この二分法に囚われていることが、すでに私たちの思考の限界を定めており、真にそれを超える「世界」に至ることはできないのではないか、そう考えるからです。「オリエンタリズム」批判や脱構築やポスト植民地主義として、西洋文明や西洋哲学への異議申し立てがなされた二〇世紀後半以降、私たちが「東洋」そして「西洋」を語る可能性と意義が根本から問い直されています。

改めて確認しますと、「東洋」という概念を用いる不適切さは二点あります。第一に「東洋 The East, Orient」という地理的・文化的範囲が曖昧でかつ広すぎることです。アラビアやインドや東南アジアや、場合によってはロシアやトルコやエジプトなども入れられます。第二に、「東洋」は「西洋」との対比概念としてのみ成立しており、強力な「西洋」を前提にした、実態のない架空の「他者」だからです。
藤田正勝は「東洋、東アジア」の使い分けについて、適切にこう論じています。

われわれは、このように自己に閉じこもるのではなく、むしろそれぞれの思想を「人類学上のタイプ」と見なすことによって、はじめて自文化中心主義の呪縛から遁れることができるのではないだろうか。そしてそのような立場に立つことによって、対抗言説としての「東洋」という呪縛からも解放されるように思う。「東アジア」という言葉はそういうところで語られて、はじめて意味をもってくると私は考えている。（藤田正勝「近代日本哲学と東アジア」、藤田正勝・林永強編『近代日本哲学と東アジア』国立台湾大学出版中心、二〇一九年、四三頁）

世界の哲学伝統は、以前は「西洋／東洋」といった対比や差異で認識されてきましたが、本来各地域や文化の伝統が独自の積極的価値を持っているはずです。それぞれが、人間に共通する真理の探求として、「普遍性」を体現しているはずです。それを適切に考察する枠組みが「世界哲学史」に求められます。

2 東アジア哲学史の構築

†東アジアの言語共同体

かつてしばしば論じられてきた「西洋哲学」と「東洋哲学」という対比軸は、後者がオリエンタリズム批判において成立しないのと同様、前者も本来はけっして一つのまとまりをなすものではありません。しかし、そうだからといって、世界のさまざまな哲学伝統が個別的にしか扱えないとしたら、それはそれで不自由であり、世界哲学への視座は得られなくなってしまいます。視野はある程度恣意的で考察意図に制約されますが、かといって実質がないものとは限りません。ここでは「西洋」つまり西欧・北米と並んで「東アジア」という軸を据えて、そこで哲学の営みを考察していきます。それは地理的・政治的な一つの地域というだけでなく、漢字を用いるという共通基盤を持った一つの文化圏だからです。伝統的な漢字文化圏には、中国、朝鮮、日本、ベトナムが含まれます。

第3章で見たように、中国では黄河文明以来「漢字」という文字体系を発展させ、その文語を文化の中心としながら長く文明を継続してきました。哲学においても、孔子ら諸子百家が活躍した紀元前六世紀から、王朝や支配民族の交代を経て、今日まで連続した伝統を保っています。

朝鮮半島では紀元後から諸王国が栄え、中国の歴代王朝に従いつつ独立を保ち、文化的にも政治社会的にもその強い影響下にありました。高麗の時代には仏教を取り入れ、その後、朝鮮王朝は儒教を基本とする国家を作ってきました。「訓民正音」と呼ばれるハングルの文字は、一四四六年に朝鮮王朝の世宗（一三九七〜一四五〇）が公布して使い始めたものです。それ以前には日本の仮名と同様に、漢字を表音として利用したり、簡略な字体を使ったりしていました。二〇世紀後半には大韓民国も北朝鮮も漢字の使用を廃止したので、漢字文化圏でのつながりは薄くなってきていますが、多くの語彙が漢字由来であり、今後も文化的な影響は基盤として残っていくでしょう。

ベトナムでは「越南語」と呼ばれるベトナム語が、北方の中国語の影響を強く受けて漢字を用いてきましたが、対応する漢字がない場合には独自に開発したチュノム（字喃）という文字を合わせて用いました。しかし、二〇世紀に入り一九一九年には科挙が廃止され、フランスの支配下ではローマ字表記である「チュ・クオック・グー」教育の推進によって漢字、チュノムは次第に使われなくなります。一九四五年に阮（グエン）朝が滅亡してベトナム民主共和国が成立すると、ベトナムの国字として漢字が完全に廃止され、チュ・クオック・

グーが正式に採択されました。しかし、ベトナム語の語彙のうち約六〇パーセントが中国語の漢字に由来するものだと言われています。

現在ベトナムで表記に用いられている「チュ・クオック・グー」というローマ字は、一七世紀にフランスから宣教に来たイエズス会士アレクサンドル・ドゥ・ロード（一五九一～一六六〇）が考案し、フランスによる「文明化」の象徴として普及したものです。

日本では、文化的な語彙を中国語から取り入れて日本語の一部とし、ひらがなやカタカナと混ぜて用いる独特の表記体系が生み出されました。漢文を返点や送り仮名を付すことで日本語として読む「訓読」の技法も発達しました。

こうして東アジアでは、時代と程度はやや異なるものの、周辺諸国が漢字と漢文を共有することで一つの文化圏が形成されてきました。この漢字・漢文文化圏を一つのユニットとして捉えることで、世界哲学において特徴と位置づけが見えてくるのではないかと考えています。その際、今後考察すべき課題は大きく二つあります。

一つは、漢字を用いるという思考、表現、議論の上での特徴は何かを、徹底的に考察することです。言語系統として中国語とはまったく異なる日本語や朝鮮語ですが、漢字を使うという限りで共通の約束事に従うことになります。それを明らかにすること、とりわけローマ・アルファベットを文字として共有する西ヨーロッパ圏での哲学との比較考察が有効でしょう。

この点では、ライプニッツも漢字という文字記号に哲学的関心を抱いたと言われていま す。二十数文字の組み合わせからなるアルファベットに基づくヨーロッパ文明にとって、漢字という文化は異質で魅力的な可能性だったのです。

もう一つは、漢字文化圏が他の文化伝統と出会ったことで生じた緊張と対決の場面を検証することです。中国哲学史ではこの「他者」との本格的な出会いは二度ありました。一度目は、紀元後にインドから入ってきた仏教、そのサンスクリット語仏典を漢訳して取り入れていく過程と、二度目は、一六世紀以降のヨーロッパ文明との交流、さらに一九世紀以降顕著になった西洋哲学の摂取の過程です。

†東アジア哲学史という視野

漢文文化圏を一体に見る視点は、必ずしも従来意識的に取られていないように見えます。中国を中心に哲学史を見る場合、朝鮮や日本はその周縁国に過ぎず、そこで展開された独自の文化は視野に入ってきません。他方で、日本の哲学思想史を辿る議論では、地理的に大陸から切り離された列島の文化ということで、中国と断続的に交流し影響を受けながらも独自の文化を発展させてきたという、直線的な見方での叙述になりがちです。現在の東アジアでは、ヨーロッパのような政治経済の地域共同体ができないという事情とも共通しますが、中国、朝鮮、日本、ベトナムなどはそれぞれが独立して切り離した視野で論じられることが普通だったからです。

二〇二二年に出版された『東アジアにおける哲学の生成と発展』(廖欽彬、伊東貴之、河合一樹、山村奨共編、法政大学出版局)という論文集では、「東アジアの思想は〈世界哲学〉になりうるか?」という問題意識を掲げて、野心的な考察を始めています。執筆者たちの考察は、主に西洋哲学が導入されてそれへの対応が急務となった一九世紀以降に向けられていますが、そこでは当然それ以前の哲学伝統との接続や批判や乗り越えが最重要課題の一つになっています。

しかし、世界哲学という考察の視点では、一九世紀から東アジアでより活性化した西洋哲学との交流や対決は言うまでもなく、それ以前の諸伝統、中国で言えば紀元前六世紀から諸子百家などで展開した思考も、もちろん世界哲学の重要な一角です。それが「世界哲学になりうるか」という問いは、厳しく内容を再検討するための導き手ではあっても、それに「ノー」という答えがあり得るような、そんな直接の問いではありません。むしろ、ヨーロッパの近現代に展開された(西洋)哲学が「世界哲学になりうるか」がさらに問われているわけです。

では、視野を近現代からさらに古い層へと拡大させつつ「東アジア哲学」を論じるとしたら、その哲学史はどのように描かれるのでしょうか。東アジア哲学史を全体として構築するためには、多くの研究領域の専門家が共同して、そこで議論の場を立ち上げて進めていく必要があります。中国だけでも古代から現代まできわめて広範な視野が必要で、それに加えて異なる言語圏である朝鮮、日本、ベトナムも視野に入れるとしたら、当然日本だけでなくそれらの地域の研究者を巻き込む本格的なプロジェクトが必要となります。

近現代については、『東アジアにおける哲学の生成と発展』がそういった共同プロジェクトの成果を提示していますが、これをさらに以前の時代と範囲にまで拡大できるか、それが世界哲学への鍵となります。「近代東アジア哲学史」といった範囲については、その共同研究書に提案がありましたが、時代の範囲をさらに拡大する必要があります。

古代から現代までの東アジア哲学史を論じるとしたら、それはまずは中国哲学史を基軸として、その時間軸にそって他を合わせることで構築する以外はないでしょう。哲学の影響や交流がけっして中国から他国へという一方向ではなかったこと、それぞれに独自の哲学が興ったことを留意しつつも、やはり中心として哲学動向を先導し、東アジア哲学の古典を提供したのは漢字・漢文を用いた中国だからです。

とはいえ、近代東アジア哲学史に切り込んだ『東アジアにおける哲学の生成と発展』でも、四三名の編集・執筆者によっても十分にカバーしきれない領域や主題が多数残っていると言います。そういった困難を目の当たりにしながら、さらに大きな視野を提起するのは野心を通り越して無謀と思われるかもしれませんが、あるべき視野をまず提示してそこから現実的に研究を進めていくことが何より大事だと信じています。

そこでは、ことさら「東アジア的なもの」を見つけようと意識する必要はありません。そもそもそのような統一的な特徴が明確にあるわけではなく、あるいはそうして一括りにすることでかえって見失ってしまうものがあるかもしれません。しかし、作業仮設としてそれを目指すことは可能かもしれませんし、より発展的に議論するために「東アジア的」な哲学のあり方を提示することはできるかもしれません。

†東アジア哲学史の枠組み

ここで中国哲学史を基本軸に据えて、そこに朝鮮、日本、ベトナムなどの動向を重ね合わせるとすると、どんな哲学史が見えてくるか、ごくおおまかな見取り図を示してみます。

①古層の時代（紀元前二〇〇〇年から前六世紀頃）

中国文明が興った「中国思想の古層」（アンヌ・チャン）に、漢字や文化が成立し、哲学が興隆する基盤が据えられました（ただし彼女は前五世紀までとして孔子を含みます）。

②枢軸の時代（前六世紀から前四世紀）

春秋・戦国時代に活発な言論活動が起こり、孔子、荘子、孟子、老子、荀子、韓非ら多くの思想潮流の祖が登場します。ほぼ同時代に初期・古典期ギリシア哲学や、インドの哲学が栄えますが、それらの間に直接の影響関係はありません。

③漢代の哲学（前三世紀から後四世紀）

秦漢帝国の枠組みで儒教が制度化され、他方で清談（せいだん）などが栄えます。この時期にはローマとの交流が始まり、西方の宗教や思想も流入します。朝鮮半島や日本列島では小国家が興り、中国文化圏に入ります。

④仏教の伝来（二世紀から一〇世紀）

インドから仏教が伝来し、サンスクリット語仏典の漢訳が組織的に行われます。仏教をめぐって儒教と論争が起こり、中国は最初の「他者」との遭遇を経験します。サンスクリット語は悉曇（しったん）研究として学ばれていきます。隋唐の国際帝国は朝鮮、日本、ベトナムなどを文化的影響下に収め、朝鮮、日本には儒教、ついで仏教が伝播します。ただし、道教は日本には導入されませんでした。

⑤宋代の儒教復興（一〇世紀から一六世紀）

北宋では朱熹（一一三〇〜一二〇〇）が儒教を刷新し、王陽明（一四七二〜一五二九）らが出ます。南宋の後、元をはさんで明代につながります。朝鮮半島では一〇世紀から一四世紀まで仏教を国教とする高麗王朝が栄え、日本では遣唐使が廃止されて歌論と仏教など国風文化が興り、末法思想を受けて鎌倉仏教、室町文化と独自の文化が培われます。

⑥近世の哲学（一六世紀から一九世紀半ば）

一六世紀にスペイン・ポルトガルから来亜したイエズス会が西洋哲学・科学を伝え、逆に中国文化をヨーロッパに伝えます。清代には戴震（一七二四〜一七七七）らが活躍します。高麗に代わって朝鮮王朝となり、李退渓（一五〇一〜一五七〇）らが活躍し、儒教が栄えます。日本では江戸期の朱子学、仏教、国学が清や朝鮮との関係で独自の展開を遂げます。

⑦近代の哲学（一九世紀後半から二〇世紀前半）

日本が開国して西洋文明と哲学が一斉に流入すると、漢字への翻訳運動が起こり、それら和製漢語が中国や朝鮮に輸出されます。圧倒的な西洋哲学との出会いが東アジア全体で経験されます。日本では西洋哲学の紹介を経て、京都学派の哲学が生まれます。朝鮮半島と台湾は日本統治下となり、ベトナムは一九世紀末にフランス植民地になります。

⑧現代の哲学（二〇世紀後半から二一世紀）

第二次世界大戦での日本の敗北を受けて、中国、朝鮮、ベトナムで新たな政治体制が生まれ、それぞれの文化政策のもと、哲学が大学等で研究されるようになります。日本ではマルクス主義、実存主義、分析哲学、ポストモダン思想などが栄え、中国・香港・台湾では新儒家が活躍し、韓国では軍事独裁からの解放後に哲学研究が活発になります。

こうして八つの時期に分けることで、中国を中心にそれをとりまく東アジアの動きが立体的に捉えられるのではないでしょうか。

†東アジア哲学史の意義

それでは、これほど広大で複雑な「東アジア哲学史」を構想し、その共同研究を提案するのはなぜでしょう。そこにどのような意義があるのか、簡単に確認しておきましょう。

私自身の主要な関心は、ちくま新書『世界哲学史』のシリーズで描こうとして成功しなかった試みの再構築にあります。第1章で紹介したように、一〇〇本以上の論考で描こうとした「世界哲学史」は、結局は西洋哲学を中心に、その周りに東アジアや南アジアなどを時折配置するという形に留まっています。これにはいくつかの原因がありますが、やはり西洋哲学という大きな流れに巻き込まれてしまい、それ以外の伝統が（西洋）哲学史に還元されてしまったということでしょう。古代はともかく、それ以後に西洋哲学史に対抗できる大きな哲学伝統の軸が立てにくいことから、世界哲学史は西洋哲学史プラスアルファに留まってしまったのです。

それに対して、もし中国哲学史を基軸に据えた「東アジア哲学史」を立てるとしたら、古代から現代までを連続してカバーする一つの哲学史を描くことができます。そこでは西洋哲学の動向も比較や参照されるとはいえ、主役をそちらに奪われることなく、東アジアでの哲学をそれ自体で辿り分析することができるはずです。

こうして、西洋哲学史に対抗する大きな地域哲学史の枠組みが可能なのは、さしあたりこの東アジアだけです。インド哲学史やイスラーム哲学史といったものも可能かもしれませんが、西洋哲学史と並ぶ規模と時間の広がりという点では十分には展開できないように感じます。この意味で、私たちが真に「世界哲学史」に取り組む時、まずは「東アジア哲学史」を構築することが重要な課題となるのです。

また、大切なのは、世界哲学を追求するにあたり私たち自身のあり方を考えることです。とりわけ日本の哲学者が日本に閉じこもることなく、中国や韓国や台湾や香港やベトナムといった隣人たちと協力しながら、自分たちの哲学的伝統が世界哲学において占める位置を明確化するとしたら、それはきわめて大きな意義を持つはずです。「東アジア哲学史」はそのようにして、私たちに「世界哲学」への道を開いてくれます。

3　日本哲学の位置づけ

†「中国思想」か「中国哲学」か

「東アジア哲学」という呼称を用いて議論するにあたり、再度考えておかなければならないのが、「哲学」という呼称をめぐる問題です。先ほど言及したアンヌ・チャン（一九五五〜）はフランスで活躍する中国人研究者ですが、彼女の大著の表題は『中国思想史』であって『中国哲学史』ではありません。その事情は序論のなかで「思想か哲学か」という問いとして論じています。

ここまで述べたことのすべてでは、中国思想を哲学と呼ぶことを禁じているように見えるだろう。というのも、哲学は、ロゴスの相続人が自分だけのものにしようとしている肩書きであって、その他の候補者たちを周縁に追い返すからである。その際、中国思想は、「智慧」の領域に留められるか、さもなければ「前-哲学的」段階だと見なされる。〔中略〕そして、哲学というレッテルが、あらゆる文化が自らのために要求している尊厳の同義語となっているために、現在でもこれほどまでに渇望されているのである。〔中略〕中国もこの承認の欲望を免れられず、近代になって「哲学」というカテゴリーをみずからに与えた。（アンヌ・チャン『中国思想史』九〜一〇頁）

アンヌ・チャンは西洋至上主義に与する「哲学」という狭い概念をあえて避けて、「思想」という語を積極的に使います。そこには、ヨーロッパ文化の中華を自負するフランスの状況があるでしょうし、フランス語の「パンセ pensée」は、英語の「ソート thought」よりも肯定的な含意を持つという事情を反映しているかもしれません。他方で、ポストモダンを受けて、西洋の「哲学」そのものへの批判的態度が「思想」という用語の積極性を後押ししたのかもしれません。

これに対して、自著に『中国哲学史』という表題をつけた中島隆博は、「中国哲学史」とは「中国（語）の経験を通じて、批判的な仕方で、概念を歴史において洗練し、普遍に向かって開いていくこと」（一八頁）であり、優れて「哲学的な実践」（八頁）と述べています。西洋由来の既成の「哲学」に当てはまるかどうかではなく、むしろ哲学そのものの再構築を目指す、それが中島の提案する「中国哲学史」の理念と叙述でした。私はこの立場に全面的に賛同します。

†「日本哲学」という呼称

しかし、東アジアが共通に被ってきた西洋「哲学」に対する劣等感や被害者意識は、日本においてより顕著に働いているようです。第1章で触れたように、「日本哲学」という呼称をめぐる論争はより厳しいものだからです。「日本哲学」という名称を使うかどうか、使うとしてどの範囲を指すかは、研究者によって大きく次の二つに分かれます。

一つ目の立場は、日本に古来あったさまざまな宗教や思想や文化は、西洋起源の「哲学」という名で呼ぶことはできず、またそう呼ぶべきではない。したがって、明治以前にあった知的営みを「思想」と呼び、そこには仏教や儒教や神道や国学などが含まれる、という考えです。文芸や伝統芸能に日本の思想を見ることもあります。他方で、この立場の人々は、西洋的な問題意識や議論を導入した明治以降については「哲学」と呼ぶことにやぶさかではないため、西田幾多郎などの京都学派が「日本哲学」と呼ばれます。

もう一つの立場は、西洋哲学の導入を基準にせず、古来日本で培われてきたさまざまな考えや議論をすべて「日本哲学」と呼ぶ、という考えです。この立場の人たちは、空海や最澄（七六六～八二二）を初期の代表とみなしますが、聖徳太子（五七四～六二二）や『古事記』『日本書紀』にすでに日本哲学を見る人もいます。彼らは明治以後と以前を断絶させません。

興味深いのは、これら二つの立場が、ある程度は日本の内外の区別に対応することです。すなわち、日本国内では、東北大学「日本思想史学科」や、和辻哲郎の「日本倫理思想史」に代表されるように、江戸までの思索を「思想」と呼び、「思想家」という表現は使っても「哲学者」と呼ばない傾向が強く見られます。京都大学に一九九五年に設置された「日本哲学講座」でも、創設者の藤田正勝をはじめ、研究者たちは明治以降のみを「日本哲学」と呼んで、それ以前の「思想」と区別して研究しています。

対照的に、海外で英語などで日本が論じられる場合は、そのような区別はほとんどなされず、古代から現代までが一貫して「日本哲学 Japanese Philosophy」と呼ばれます。聖徳太子や空海から道元や本居宣長など、代表者はみな「哲学者」と呼ばれ、それに加えて「武士道」や「茶道」も哲学の一部として論じられます。

ジェームズ・ハイジック（一九四四〜）、トーマス・カスリス（一九四八〜）、ジョン・マラルドが共編した『日本哲学：原典資料 Japanese Philosophy: A Sourcebook』（二〇一一年、ハワイ大学出版局）は、日本哲学の基本文献の英訳と解説を、聖徳太子から現代まで収めています。また、ブレット・デービス（一九六七〜）が編集した『オクスフォード日本哲学ハンドブック The Oxford Handbook of Japanese Philosophy』（二〇二〇年）は、全三六章からなりますが、やはり聖徳太子や『古事記』から二〇世紀までを広く論じています。
それに対して、二〇一八年に刊行された藤田正勝『日本哲学史』（昭和堂）は、双方の立場を認めた上で、「著者の力量」によるとしながらも、明治以降のみを「日本哲学」として論じています。

こうした内外の態度の違いはどこから来るのでしょうか。「西洋にしか〈哲学〉はない」と強く考えるのが日本人研究者たちであり、欧米の研究者は普通に古来の「日本哲学」を論じるというのはとても不思議です。ギリシア以来の西洋哲学をスタンダードに据えている欧米の学者が、日本に「哲学」を認めることに躊躇いがないのに対して、それを拒んでいるのは当の日本人だからです。

この事情を、ブレット・デービスはこう説明します。日本が鎖国の後で西洋文明に直面した一九世紀半ばは、ヨーロッパでは西洋中心主義、あるいは西洋独占主義とも言うべき価値観が最高潮であり、そこで衝撃を受けた日本人は「哲学」が西洋にしか成立せず、それに当てはまらないものはその名に値しないと強く刷り込まれてしまったのだ、と。確かに、ヨーロッパの東アジアに対する態度には大きな転換がありました。イエズス会士が孔子らの哲学をヨーロッパに伝えた一七世紀にはライプニッツやヴォルフら、中国哲学を対等かそれ以上に評価する見方が普通でしたが、その後、ヨーロッパ中心主義が強まり、中国やインドを未開の思想として哲学から排除するヘーゲル的な見方が急速に普及しました。これは、マーティン・バナール（一九三七〜二〇一三）が『黒いアテナ』（一九八七年刊）で、古代ギリシアについての「アーリア・モデル」が成立したとする時期とも重なります。西周ら日本人が欧米に出かけて「哲学」を学んだのは、まさにその頂点の時期でした。

しかし、西洋中心主義への反省が進み、ポストコロニアルの考え方が徹底してきた今日、欧米では中国や日本に「哲学」を認めないなどという偏狭な見方は減り、「日本哲学」という名で、いわば世界哲学的に日本の伝統の見直しが行われているわけです。

日本と海外でこれほど対照的な態度が見られる背景には、使用言語の違いもあります。やや単純化して言えば、日本国内で論じている研究者は日本語で、日本人向けに話していますが、海外で英語などで日本について論じる研究者とはまったく状況が異なっているのです。つまり、日本語で日本の過去を論じる場合には特別に、「哲学」という言葉で整理することに違和感を覚え、西洋のフィロソフィー導入以前の対象を「思想」と呼んで、ソフトで曖昧に扱うことにしているのです。しかし、デービスはこの「思想」という単語も西洋の概念の翻訳であることを指摘しています。

それに対して、空海であれ道元であれ本居宣長であれ、英語で議論する場合はどうでしょう。もし「それらは哲学ではありません。思想です」と英語で言ったとすると、海外の研究者たちは怪訝（けげん）に思うはずです。「哲学でないのなら、真面目に論じるには値しない」と返されるはずです。それに対して、日本人の方が「いや、西洋の哲学とは異なりますが、別種の豊かな思想があるのです」と応答したとしても、哲学の領域では残念ながら完全に無視されるだけです。

やや戯画化していると感じられるかもしれませんが、実際にこんな反応がくることはほぼ確実です。つまり、日本国内で日本語で日本人に向けて語っている限りは「思想」という言葉を使うことができても、一旦国外に出て外国人に英語でそれを語ろうとすると、「哲学ではない思想」と言った途端に、合理的に議論するに値しない未熟で劣った考えだという印象を与え、そもそも相手にしてもらえないのです。それでももし本気で「哲学ではない豊かな思想の存在」を論じようとしたら、おそらく長く苦労の多い哲学的議論と論証が求められるでしょう。そして、その主張自体が哲学を必要とするのです。

私は日本語で議論するにあたっても、古来の日本の知的営為を「日本哲学」と呼びますが、それは日本の内外で、あるいは日本語と外国語とで異なった語を使い分け、いわば、二枚舌を使いたくないからです。さらに、日本国内に閉じこもらずに、世界で他の言語で日本のことを一緒に論じたいからです。近代に限定せず、古代からの日本の「哲学」を語っていくこと、それが現代の私たちに求められる世界哲学なのです。

†東アジア哲学史の中の日本哲学

中国を中心に朝鮮などを含む「東アジア哲学史」を構想する今、日本哲学を扱う方向はより明確になっています。まず、中国の哲学は紀元前六世紀から現代まで、いくつもの段階を経てきましたが、朝鮮や日本はその周縁として、ある時期から中国哲学から影響を受け、やがてそれを独自の哲学へと展開してきたのです。そのことを認める以上、中国哲学、朝鮮哲学などと並んで、日本哲学をその名称で扱うことになんの問題もありません。むしろ、日本だけが一九世紀以前には「哲学」がなく「思想」だけだったと主張したら、中国哲学や朝鮮哲学との関係で奇妙で場違いなものになるでしょう。哲学はけっして西洋独占の「フィロソフィー」ではなく、東アジアで展開された「哲学」が世界哲学の一部として捉え直されるのです。

日本哲学の遂行と研究は、以下の主体と対象を範囲とします。ここで「日本哲学」は狭く限定された意味と、広く包括的な意味とがあり、それらは連続していることが分かります。

まず、日本哲学を遂行する主体を考えてみましょう。「日本人による」と「日本人以外による」との区別が基準となります。しかし、現在では日本国外で日本哲学を研究する学者は数多くいて、その重要性は広く認識されています。地理的には「日本国内での」という限定があり、さらに、言語では「日本語による」という基準がありますが、これらの点でも海外での英語などでの日本哲学の議論を排除することは不合理です。哲学の遂行も「日本的思考による考察」という特徴が認められるとしたら、それに該当するかどうかでだれでも日本哲学に含まれると考えることができます。

次に、対象について考えてみましょう。西田幾多郎や京都学派の哲学者たちのように、事柄そのものを思考するという場合は「日本」といった限定は問題にならないかもしれませんが、研究の対象として考える場合「日本において行われた」という地理的限定が「日本の外で行われた」との区別で基準となります。また、「日本語による議論、著作」を対象とする見方もありますが、岡倉天心（一八六三～一九一三）や新渡戸稲造（一八六二～一九三三）や内村鑑三（一八六一～一九三〇）のように英語で著作したものを含めないわけにはいきません。反対に、植民地下の朝鮮や台湾で日本語で論じられた哲学があったことも、忘れてはなりません。また、日本哲学についての現在の海外での議論を含める必要もあります。言語としては、そもそも江戸時代までの漢文は日本語か中国語か、という論点もあり、日本語での著作という概念も必ずしも明確ではありません。

では、哲学の内容について「日本に関するもの」という限定は有効でしょうか。例えば、日本における仏教や儒教はどうでしょう。中国や朝鮮との比較で日本独自という特徴を検討することになるかもしれません。では、私が従事している西洋哲学の研究はどう見られるのでしょうか。日本でのギリシア哲学研究は日本的か、日本哲学に貢献しているか、そんな論点もあります。

最後に、特徴として「日本的なもの」を、どこかで語ることができるでしょうか。日本的という概念を定義できるか、東アジアという視野で考える時、その問題は改めて興味深いものとなるでしょう。

こういった論点を日本においてだけ考えるとさまざまな問題が生じますが、一旦「東アジア哲学」という世界哲学の視野で捉えると、多少は整理がつきやすくなるのではないでしょうか。「日本哲学」は、まさに世界哲学という視野において、初めて明瞭に論じられるのです。

第8章

世界哲学をつくる邂逅と対決

1　インドとギリシアの出会い

†邂逅と対決

世界哲学を論じるとき、これまでの数章で扱ったように、アフリカ哲学や分析哲学や日本哲学や、そういった一つの伝統に視野を限り、その意味を考察するというやり方があります。「世界哲学における何々哲学」というその論じ方に加えて、世界哲学ならではの視点もあります。それは、異なる哲学伝統が接触したり、相互に浸透したり、対立したり、場合によっては一方が他方を取り込んでしまう、そんなダイナミックな関係の場面です。

ギリシア哲学がローマやイスラーム世界に移入された場面、あるいは中世キリスト教哲学が宗教改革や科学革命を経て近代哲学に移った場面、孔子などの中国哲学がイエズス会士たちによって初めてヨーロッパに紹介された場面、逆に、ヨーロッパ哲学が中国や日本に導入された場面など、世界哲学史はそのような緊張と魅力ある接点に溢れています。通常は単独の哲学伝統を取り扱う哲学史研究が、これら複数の哲学が出会う場面で何が起こるのかを見るには、世界哲学の視点が必要となるのです。

本章では、そのような邂逅と対決の例として、古代にギリシア哲学とインド哲学がどう関わったかを紹介します。ちくま新書『世界哲学史』では第1巻第10章で、金澤修（一九六八〜）が「ギリシアとインドの出会いと交流」として、アショーカ王（在位、前二六八頃〜前二三二頃）の「碑文」をはじめとする資料を論じています。ここではそれとはやや違った角度から、ギリシアとインドという二つの世界、その出会いを見ていきましょう。

†枢軸としてのギリシアとインド

古代ギリシアと古代インドというと、どちらも前六世紀から前四世紀に重要な哲学の動きがあり、前者にはイオニアとイタリアで興った初期ギリシア哲学と、その後アテナイで展開された古典期哲学がありました。イオニアではタレスやアナクシマンドロスやヘラクレイトスが、イタリアではピュタゴラス（前五七二頃〜前四九四頃）やパルメニデスやエンペドクレス（前四九〇頃〜前四三〇頃）が活躍し、ソクラテス、プラトン、アリストテレスというアテナイの古典期に向かいます。また、哲学の誕生に先立って、ホメロスやヘシオドスの叙事詩が代表する伝統的な知恵があり、人間の生き方や神々の世界について人々を教導していました。

インドでは諸ヴェーダ本の成立をうけたブラーフマナの哲学、ウパニシャッドの哲学がありましたが、前五世紀にヴェーダの権威に挑戦する諸哲学が現れました。「六師（ろくし）」と呼ばれた人には、道徳否定論を展開したプーラナ、七要素説を唱えたパクダ、決定論のゴーサーラ、唯物論のアジタ、懐疑論のサンジャヤと並んで、ジャイナ教の祖のニガンタ・ナータプッタ（本名ヴァルダマーナ、前四四四頃〜前三七二頃）がいました。その時代に仏教を始めたのが、ゴータマ・シッダールタ（ブッダ）です。

伝統と革新がせめぎ合い、後にそれぞれ重要な哲学伝統を形づくるこれら二つの地域は、カール・ヤスパースが「枢軸の時代」と呼んだ、人類の哲学の発祥の地でした。その同じ時代には、中国でも諸子百家と呼ばれる哲学運動があり、儒教や老荘思想などさまざまな哲学者が出て、後代につながる思索をくり広げていました。

これら三つの枢軸は地理的に離れており、それぞれ独立に発展していて、前四世紀までは相互の影響はまったくありません。とりわけ、中国はまだ他の地域との直接の交渉がなく、シルクロードを通じた陸路もインド洋からの海路も開発されていませんでした。それと比べると、インドとギリシアは、離れているとはいえ地中海東部とペルシアをはさんで間接的な交流を持つ位置にありました。これら二つの哲学伝統の間で何が起こったのか、それはその後に何か影響を残したのか、それを見てみましょう。

†異なる伝統の交流

哲学の起源というと古代ギリシアとされますが、それに先立つはるか以前からエジプト、メソポタミアでは高度な文明が成立し、学問や文芸がありました。しかし、それら先行文明から切り離して「ヨーロッパ」の起源としてギリシア・ローマを持ち上げたのは、一九世紀のドイツなど近代の西欧です。その事情を鮮烈に示したのが、バナールの『黒いアテナ』(一九八七年刊)でした。ギリシアの女神アテナは本当は黒人(アフリカ人)だったという衝撃的なタイトルが付されたこの書物が明らかにしたように、そこでかき消されたのはギリシア哲学に先行する他者であり、それら他者とのさまざまな交流でした。ギリシア・ローマから続く西洋哲学はけっして単線的なものでも、単一のものでもなかったのです。

ここで世界哲学が再考すべきは、異なる哲学伝統の並行性、相互作用や影響、対立などの諸相となります。前四世紀以後のギリシア哲学者とインド哲学者の関わりには、いくつかの文献が残されていますが、必ずしも十分に取り上げられていません。

他方で、両者の関係については、立場によって大きく異なる位置づけが与えられてきました。一例をあげると、『新約聖書』に描かれるイエス・キリストの行状には、ブッダについて仏教で伝えられたものと著しく類似した例があります。水上を歩いたという伝説が典型です。[*] それらが単なる偶然の一致と言うのでなければ、何らかの影響関係があったと想定されますが、時代から言えば明らかに仏教が先行するため、影響を受けたのはキリスト教ということになります。そこから、キリスト教の成立が仏教やインド哲学に依拠しているかをめぐる議論が展開され、サルヴパッリー・ラーダークリシュナン（一八八八〜一九七五）らインドの学者たちは、インドの優先性を主張しています。

＊『マタイ伝』一四章二二〜三三、『マルコ伝』六章四五〜五一、『ヨハネ伝』六章一六〜二一参照。

この主張がインドのナショナリズムとも連動していることは容易に想像できますが、それに対して西洋の学者たちが概して無視を決め込んでいることもまた、理解しやすいところです。

†ギリシア人が得たインド情報

では、古代ギリシアの人々は、いつ、どのようにインドのことを知ったのでしょう。はっきりしている最初の出来事は、アケメネス朝ペルシアが東方に進出した際に、インダス川流域まで到達してインド文化と接したことです。具体的には、ダレイオス一世（前五五〇頃〜前四八六）がイランやバクトリアを越えて北西部インドに進出して、そこを一つの州としました。前五〇〇年頃、ちょうど西方ではイオニア植民市の反乱に端を発するペルシア戦争が起こる前のことです。

ダレイオス王はカリュアンダ出身のスキュラクスを派遣しました。スキュラクスはギリシア人の冒険家で、インドへの旅行体験を何らかの著作に記して同時代のギリシア人たちに読まれました。ヘロドトス（前四八四頃〜前四二五頃）の報告を見てみましょう。

アジアについてはダレイオスによって多くの発見がなされた。ダレイオスは、世界の河川中他の一河を除いては鰐の棲息する唯一の河であるインダス河が、どの地点で海に注ぐかを知りたいと思い、彼が真実の報告を期待できると考えた者たちを船で派遣したのであったが、一行の中で特に注目すべきはカリュアンダの人スキュラクスであった。〔中略〕この一行が周航をなしとげた後、ダレイオスはインド人を征服し、この海路を利用したのであった。（ヘロドトス『歴史』第四巻四四、松平千秋訳、岩波文庫）

後にアリストテレスも『政治学』（第七巻第一四章）で彼の名前に言及しています。しかし、スキュラクス作として流布した『周航記』という著作は別人のものだとされており、同時代人の引用や言及がきわめて少ないことを気にする学者もいますが、この時代は手稿がパピュロス本に書写されて読まれる習慣ができた初期であり、彼の知見がそれほど広い人々に知られていなかったとしても不思議はありません。

「インドの Indos」というギリシア語名は、今日とは異なりインダス河の東側あたりを指しますが、ヘロドトスは「インド人はわれわれの知る限り世界中で飛び抜けて最大の民族で、他のすべての納税額の合計に匹敵するほどの、砂金三六十タラントンを納入する。これが第二十徴税区である。」(『歴史』第三巻九四)と報告しています。

こうしてスキュラクス以来、はるか東方にある「インド」という地域の名前はギリシア人たちに知られていました。ヘロドトスによれば「インドの東方は砂漠を成しているため全く無人の境」(同第三巻九八)でした。ギリシア人が知り得た東の限界がインドでしたが、その地域の実際の様子や人々の暮らし、まして哲学についてはまったく未知のままでした。

†ソクラテスとインド哲学者の対話?

ここで一つ、興味深い資料を紹介しましょう。あのソクラテスがインドの哲学者に会い、批判されていたという逸話です。

音楽家アリストクセノスは、この教義［人間と神に関する知識は一つしかない］はインド人特有のものだと言う。彼らの一人がアテナイでソクラテスに会い、彼の哲学はどのような分野に向けられているのかと尋ねた。ソクラテスは、彼の研究は人間の生に向けられていると答えたが、インド人は笑い出し、神の問題を無視して人間の問題を調べることは不可能だと主張した。（アリストクセノス、断片五三 Wehrli）

この逸話を収めたのは、今は散逸してしまったアリストクセノス（前三七五頃～前三三五頃活躍）の『ソクラテス伝』です。アリストクセノスは南イタリア・タラス出身でアリストテレスの弟子で、ピュタゴラス派についての文献や音楽論を残した哲学者です。ただ、彼が書いた『ソクラテス伝』は、この哲学者に対する敵意ともとれる悪評が多数収められていたことが知られており、インドの哲学者との対話にも、そんな批判的な意図が込められているのでしょう。ソクラテスが宇宙や自然の探求を放棄し、人間に関わる事柄だけを議論したことは有名ですが、それを揶揄しているのです。

しかし、ソクラテスが活躍した前五世紀末に本当にインドから哲学者が来て会話したと考えることはほぼ無理です。ギリシアの哲学者たちがエジプトの神官やペルシアのマゴス僧らと交わったという話はいくつもあります。ソクラテスにも、東方（ペルシア）からきたマゴス僧で人相見のゾフュロスという人物との対話を弟子パイドンが『ゾフュロス』という対話篇で描いたことが知られています。そちらも史実に基づく話か創作かは分かりませんが、インド人との対話というのは、明らかにアレクサンドロス大王東征以後の知見に基づくアナクロニズムでしょう。

†アレクサンドロス大王と哲学者たち

ギリシアとインドの関わりにおいて決定的に重要なのは、マケドニアのアレクサンドロス三世（前三五六〜前三二三）、つまりアレクサンドロス大王の役割です。父王フィリッポス二世（前三八二〜前三三六）が支配下においたギリシア諸ポリスを糾合して、「ペルシア戦争の復讐」と称してアケメネス朝ペルシアに大遠征を行い、幾度かの戦闘でダレイオス三世（前三八〇頃〜前三三〇）を打ち破ってその王国を引き継いで支配したことは、世界史の常識に属します。しかし、東方に進出してインドの一部を支配下においたという限りで事績を同じくするダレイオス一世とは異なる点があります。彼が哲学者たちを引き連れてインドまで進み、彼らもアレクサンドロス自身もインドの哲学者たちに会っている点です。

世界史の偉人として有名なアレクサンドロス大王は、古代では哲学者の性格を備えた

「哲人王」として扱われていました。何よりも、若い頃に哲学者アリストテレスに教えを受けた経歴が重要で、東西融合の思想など、自身の王国建設にも哲学的な知見が込められていたとも言われています。

大王と哲学者と言えば、もっとも有名なのは「犬」と呼ばれた哲人ディオゲネスとの会見でしょう。アレクサンドロスは前三三五年に、ペルシア戦争を開始する会議に参加したコリントスで、その地に暮らすシノペのディオゲネス（前四一三／四〇三～前三二三）に会いに出かけます。「何か欲しいものはないか」と尋ねる王に、横たわる哲人は「日差しを返してください」と答えました。こんな哲学者について、笑いながら冗談を言って去っていく家来たちに向かって、アレクサンドロスはこう言ったといわれます。「いや、私がもしアレクサンドロスでなかったら、ディオゲネスでありたかった。」（プルタルコス『アレクサンドロス伝』第一四章）

そうしてギリシアを出立したアレクサンドロスは、一〇年にわたる東方遠征を行い、前三二七年にはインドの地に入り、二年ほどで撤退します。その行程に多くの哲学者たちが随行したことは重要です。まず、アリストテレスの甥で、学園リュケイオンで共に歴史を研究していたカリステネス（前三六〇頃～前三二七）がいます。彼はアレクサンドロスの伝記を執筆するという役目を帯びて遠征に従う一人でしたが、途上で大王の不興を買い、陰謀に加担したいう理由で前三二七年に処刑されてしまいます。この一件により、アリストテレスは大王に恨みを抱いたとさえ伝えられますが、アレクサンドロスの陣営にはこうした哲学者たちがたくさんいたのです。

　カリステネスと対照的な性格で大王に寵愛されたのが、アブデラ出身のアナクサルコス（前三八〇頃〜前三二〇頃）です。アブデラは原子論を唱えた自然学者デモクリトスの出身地で、アナクサルコスもその系譜の哲学者だとされます。磊落で人生の達人とも言うべきこの哲学者は、アレクサンドロスを励ます、いわば癒し手として重用されました。

　アナクサルコスに連れられてインドまでやってきた友人に、エリス出身のピュロン（前三六〇頃〜前二七〇頃）がいます。大王一行と共にインド人にも会ったこの男は、ギリシアに戻ってから懐疑論の教えと生き方を始め、後に「ピュロン主義」と呼ばれる重要な哲学学派の祖となります。ピュロンの懐疑主義にインド哲学からの影響があるのではないかという推測は、多くの学者が直感するところですが、肯定する証拠も否定する論拠もありません。ただ、人生前半での重要な経験がその後の哲学に影響を与えたことは大いにあり得ます。

　さらにもう一人、興味深い哲学者が遠征に参加しました。オネシクリトス（前三六〇頃〜前二九〇頃）です。彼はシノペのディオゲネスの弟子ですが、遠征終了時に、インダス河を下ってアラビア湾へと航海する艦隊で操舵長をつとめる軍人でもありました。

†大王とインド哲学者との対話

彼ら取り巻きと共に、アレクサンドロス大王自身もインドの哲学者たちに会っています。王をめぐる伝記資料には、インドの哲学者たちに一連の質問をしていたという逸話もあります。王が哲学者たちと交わす対話は興味深い限りですが、内容の多くが後世の創作であることは間違いありません。

プルタルコス『アレクサンドロス伝』（第六四～六五章）、および伝カリステネス『アレクサンドロス大王物語』（第三巻第五～六節）に、その逸話が収められています。資料によって内容が若干異なりますが、自分への反乱に関わった「裸の哲学者」を尋問して、最終的に許したという筋です。

プルタルコスの報告では、一〇人の哲学者に対して一〇の問いが与えられ、答えが返されます。

一、「生者と死者はどちらが多いか。」「生者である。死者は存在しないから。」

二、「陸と海とどちらがより大きな動物を生み出すか。」「陸である。海は陸の一部だから。」
三、「最も狡猾な動物は何か。」「まだ人間が知らない動物である。」
四、「どんな理由でサッバス（裏切った統督）を離反させたか。」「彼が立派に生きるか、立派に死ぬことを欲したから。」
五、「昼と夜のどちらが先に生じたか。」「昼が一日早い。難問には難答があるから。」
六、「人はどうすれば最も愛されるか。」「最も強力で、恐れられないなら。」
七、「人はどのようにして人間から神になれるか。」「人間にできないことをすれば。」
八、「生と死のどちらがより強いか。」「生である。これほど多くの悪に耐えているから。」
九、「人間はいつまで生きるのがよいか。」「死が生より善いと思うまで。」
一〇、最後にアレクサンドロスは年長者に、最初に正しく答えられなかった者は誰か、の判定を求めましたが、「後の者が前の者より順に下手な答えをした。」と答えたため、感心して彼らを許しました。

こういった知恵をめぐる謎かけは、生命をかけた遊びとして多くの古代文明で報告されています。しかし、哲学に強い関心を抱いていたアレクサンドロスが、インドで異質な哲学者たちに興味を持って多様な質問を交わしたことはあり得ないことではありません。

†オネシクリトスと裸の哲学者たち

インダス河流域に軍を進めたアレクサンドロス一行が、おそらく最初にインドの哲学者たちに出会った場面は、ギリシア・ローマの地理学者ストラボン（前六三頃～後二三年頃）の『地誌』がいくつかの資料から、次のように伝えています。

タクシラの町に入ったアレクサンドロスらに、裸体で忍耐の修行を続け人々の尊敬を集めている知者たちがいるという報告が届きます。彼らは招待されても他人のもとに来ることはなく、自ら赴いて話を聞くしかない、そんな情報が寄せられます。大王は自ら行くことは適当ではないとはいえ、彼らに無理強いすることも望まず、オネシクリトスを代理で派遣しました。

街から離れたところで、オネシクリトスは、一五人の修行者を見つけます。行者は思い思いの姿勢で立ったり坐ったり、裸のまま大地に横たわって夕刻まで不動で過ごし、そして市内に戻っていたと言います。

オネシクリトスはその一人で、後にギリシア語で「カラノス」とあだ名される者と対話します。その行者は、オネシクリトスらが軍衣を着て広つばの帽子を被り、サンダルを履いているのを見て、笑ってこう言いました。

往古はどこもが大麦、小麦でいっぱいで、まるで今日の塵ほどもあった。泉も流れつづけ、泉には水の泉もあれば乳もあり、蜂みつに似た流れのも酒、オリーブ油のもあった。しかし、人間たちは飽食し、ぜいたくになったあげく思いあがってしまった。ゼウスはこのありさまを憎んで、これらすべてのものを消滅させ人が苦労を重ねて暮すよう定めた。節制をはじめとする徳が広く世に現われて、ふたたび善いものが豊かに供給されるようになった。しかし、今日すでに人間どものやっていることは飽食や思いあがりと隣合せになり、現にあるものの消滅ということが起こりかねなくなっている。（ストラボン『ギリシア・ローマ世界地誌』第一五巻第一章六四、飯尾都人訳、龍渓書舎）

このカラノスは、その後そのままアレクサンドロスの一行に加わり、彼らと行軍を共にしましたが、ペルシアに向かう途中で病気になり、自身を薪の山の上で燃やすという死に方をしてギリシア人たちに衝撃を与えました。短期間とはいえ、寝食を共にし、対話を交わしていたこのインド人哲学者がギリシア哲学に与えた影響は不明ですが、ピュロンが哲学を始めたきっかけは、どうやらこのカラノスの発言にあったようです。

伝記作家アンティゴノス（前三世紀頃）は次のように伝えています。すなわち、あるインド人がアナクサルコスを批判して「この男は、自身が王の宮廷の世話をしているが、他のだれかに善き事を教えることはできない」と語っているのを耳にし、ピュロンは世間から身をひいて振る舞う生き方を選んだ（ディオゲネス・ラエルティオス『哲学者列伝』第九巻一一章六三）。ピュロンが三〇代半ばのことでした。

†マンダニスの哲学

オネシクリトスの報告でカラノスの次に出てくるのは、長老のマンダニスです（プルタルコスの報告では「ダンダミス」となっています）。長老は前の発言をしたカラノスの思い上がりを叱った上で、アレクサンドロス大王を賞賛しました。これほど大きな帝国の統治に忙殺されていたにもかかわらず、知恵を欲している王こそ「武装した哲学者」だと言うのです。

しかしマンダニスはこうも言います。言語以外には一般人以上の知識のない三人の通訳を通して会話することで、彼の哲学の中で役に立つことを何一つ述べることができないとしても、仕方のないことだ。それは「水が泥土をくぐってもきれいなままに流れていることを期待するのと同じようなもの」だからです。ギリシア語と現地語を仲介した三人の通訳は、おそらくペルシア語、アラム語、通俗サンスクリット語などだったはずです。その苦労を経て、マンダニスはオネシクリトスらに自身の哲学を伝えます。それは、魂から快楽と苦痛を取り除くことこそが最良の教えである、といったものでした。

マンダニスはその後、ギリシア人の間でそのような教義が教えられているかどうかを尋ねました。それに対してオネシクリトスは、「ピュタゴラスもこの種の教説を述べ生き物の肉を避けるよう勧めていること、ソクラテスとディオゲネスの教えも前者と同様で、ディオゲネスからはわたしも直接その教えを受けた」と答えました。魂の輪廻転生を説いたピュタゴラスは、他の動物の肉を食べることを避けたと言われています。それに対して、長老マンダニスはこう語ります。

> わたしが考えるには、その人たちは総じて思慮深い考えをしているが、誤っているところがひとつあって、それは自然より法を優先させている点だ。すなわち、質素なものを食べて生きていればわたしのように裸で過していても恥ずかしくはなかろうし、しかも暮しの用具をなるべく必要としない家庭こそ一番優れている。（ストラボン『ギリシア・ローマ世界地誌』第一五巻第一章六五節）

「自然（フュシス）／法慣習（ノモス）」の対比はギリシア哲学の中心であり、とりわけオネシクリトスの師にあたるシノペのディオゲネスは「ノモス」に先鋭に挑戦する哲学者でした。二人の対話で「ソクラテス、ピュタゴラス、ディオゲネス」の三哲学者について話されたことは、プルタルコス『アレクサンドロス伝』第六五章でも報告されています。

マンダニスはギリシア人に対して、自分のように裸で、質素な食事で生活することを恥じることはないだろうと言いました。持ち物を放棄して公共の場で甕（かめ）のなかで生活したディオゲネスですら、裸ではありませんでした。ジャイナ教徒とも推定される「裸の知者」は、ギリシア哲学よりも徹底していることを誇って語っていました。マンダニスの発言は、同じような哲学を遂行しているギリシア人への共感や賞賛と共に、インド哲学の優位を語るものだったのです。

ここでのやりとりは、ギリシアの哲学とインドの哲学が出会った最初の場面であり、共通の傾向を確認した画期的な対話でした。

2 ミリンダ王の問い

†奇妙な外典

ギリシア人が最初にインドに赴いた前五〇〇年、そしてアレクサンドロスの遠征によって哲学者が出会った場面から、さらに二〇〇年近く経った前二世紀半ば、両者は後世に残る重要な出会いを果たします。その出来事は、今日『ミリンダ王の問い』という表題で伝わる仏教の外典、パーリ語で「ミリンダ・パンハ」と呼ばれるテクストに残されています。仏教では非正典という扱いを受ける著作ですが、それもそのはずで、この中にはブッダも、直接ブッダの教えを受けた人の話も出てきません。初期の仏教の教えが理知的に説かれている、かなり風変わりな経典なのです。

場所は、当時ギリシア人の王国があった北西インドの都サーガラ、主な登場人物はその地の王であるミリンダと、彼と対話して仏教へと帰依させる僧ナーガセーナです。アレクサンドロスが征服した西アジアは、彼の死後は後継者たちの王国が興亡する地域で、ギリシア文化が残存していました。そこを治めた有力な王メナンドロス一世（在位前一六五／一五五頃〜前一三〇頃）が、この「ミリンダ王」に当たると推定されています。とすると、ギリシア文化の影響を引き継ぐメナンドロス王と、インドで発展していた仏教の代表者であるナーガセーナの間で交わされた丁々発止の問答は、ギリシア対インドの哲学対決だと言えるでしょう。

本作に注目した一九世紀後半以来の研究者たちは、この対話がギリシアとインドの伝統のどちらに由来するのか、いや、パーリ語で残されたこの仏教の外典にギリシア哲学の要素は見られるのか、そういった問題をしきりに論じてきました。彼らはまた、ギリシア人の王であるメナンドロスは果たして仏教に改宗したのか、もし改宗したとしたら、どんな理由だったのかも気にしてきました。

†インド対ギリシア

インドとギリシアの攻防とも言えるこのテクストをめぐっては、一方でギリシア哲学の影響を指摘する研究者たちがいます。王と仏僧との対話という著作形式が、プラトン対話篇の影響を受けているのではないかという見方は一九世紀末から時折提出されており、とりわけ一九三八年に出版されたW・W・ターン（一八六九〜一九五七）の研究書『バクトリアとインドのギリシア人』は、この対話の元にはギリシア語で書かれた対話篇があり、それがパーリ語に翻訳されたという大胆な仮説を提示して、議論を引き起こしました。

これに対して、ここにギリシア哲学の影響を一切認めず、純粋なインドの仏典であるとするインド派は、泰斗リヒャルト・ガルベ（一八五七〜一九二七）をはじめ、現在に至るまで優勢を占めています。ガルベは一九三〇年に公刊した研究書でこう断定しています。

ここで次に問題となるのは、ミリンダ王の語りの中にギリシア的思考が認められるかどうかということである。私は『ミリンダ王の問い』を注意深く読んだが、この質問には決定的に否定的に答えなければならない。ギリシア的な思想世界は、明らかに作者にはまったく知られていない。王はギリシア人（ヨーナタ）の仲間以外では特徴づけられず、彼らでさえもインド人のように話し、行動している。（『インド文化史への貢献』一一四頁）

インド派はウパニシャッド対話や『マハーバーラタ』などをモデルと見なすことで十分に説明できると考えています。しかし、ここには大きな問題があります。近年このテーマで包括的な研究を展開しているリチャード・ストーンマンは、ギリシア哲学の要素を否定するインド派に立っていますが、著作の前半部と後半部でのトーンの違いに触れながらも、結局は次のような結論を述べているからです。

それ〔『ミリンダ王の問い』〕はギリシア哲学を想起させるようなものは、何も含んでいない。〔中略〕最初の二部では、王がナーガセーナに哲学的な問題を投げかけ、賢者はさまざまな良い議論や悪い議論で答えているが、それ以外の部分では、王の質問は単にナーガセーナが仏教の教えについて一連の説教をするための促しとして機能している。(『ギリシアのインド経験』三六六頁)

本書は全体として、仏教哲学の包括的な提示となっている。これは明らかにアレクサンドロス伝説での質疑応答、さらにはプラトンの対話に類似しているが、前者のモデルをはるかに超えており、説教に転化している点で後者とも異なっている。(同三七一頁)

しかし、『ミリンダ王の問い』という著作を一つの全体として捉え、それを非ギリシア的であると断定するこのような見方には、日本では半世紀前にすでに十分な反論が提出されています。その点を見てみましょう。

†『ミリンダ王の問い』の原型

日本のインド哲学の代表的研究者である中村元(はじめ)(一九一二~一九九九)がインドとギリシアの思想交流を検討して提出した見方は、同時代の日本人研究者たちによる文献学調査を反映させたものでした。ここでまず『ミリンダ王の問い』というテクストについて、簡単に触れておきましょう。

『ミリンダ王の問い』はパーリ語で伝承され、一八八〇年にトレンクナー（一八二八〜一八九二）によるローマ字の校訂版が出て、それが今日でも定本となっています。ところが、この著作には漢訳である『那先比丘経』があり、二巻本と三巻本の二種類で伝承されてきました。晩年の和辻哲郎が二種のテクストの関係に関心を寄せ、インド文献学の水野弘元（一九〇一〜二〇〇六）が一九五九年に発表した論文「ミリンダ問経類について」（『駒澤大学研究紀要』一七号）で、それらを含む資料の成立事情を詳細かつ説得的に解明しました。それらを受けた中村元の著書は、原典批判により最古層の部分だけを取り出してそこを分析すれば、ミリンダ王の言葉にはギリシア哲学の特徴が顕著に認められると考えざるを得ない、と結論づけます。

この（『ミリンダ王の問い』の原型と認められる部分、すなわちパーリ文と漢訳とがほぼ一致する）部分において、ギリシア的思惟とインド的思惟との対決が、最もなまなましいかたちで保存されているのではないかと考えられるからである。これに反して、その他の部分は後世に附加されたものであるから、ミリンダ王の思想から隔っている。〔中略〕したがって、この二つの部分は区別さるべきである、と考えられるのである。（中村元『インドとギリシアとの思想交流』春秋社、一九六八年、八九〜九〇頁）

漢訳が収めるのはパーリ語版では最初の部分（第一〜三部）にあたります。それ以降の部分（第四〜七部）はパーリ語の伝統で後に追加された部分だと推定されるのです。漢訳の成立年代から推定すると、両作が重なる最初の部分は前一世紀頃には書かれたことになります。そうだとすると、私たちは最初に成立した三部だけに注目して、そこでギリシア哲学との関係を検討すべきだということになります。

この点は、ガルベやストーンマンには必ずしも十分に認識されていないように見えます。つまり、彼らはテクストが成立した層の違いを無視し、漢訳に相当する最古層を独立して扱おうとしていないのです。逆に、『ミリンダ王の問い』の一部は、前二世紀というヘレニズム時代にギリシア人知識人とインド人賢者とが交わした歴史的対話を記録した、あるいはそれを反響させた最も貴重なテクストの一つだということになります。

日本で展開されていたこの知見がなぜ現在の世界の標準研究に反映していないのか、いや、無視されているのかは、興味深い問題です。その理由は次節で改めて取り上げます。ここではもう少し内容を見てみましょう。

『ミリンダ王の問い』は、おそらく混成サンスクリット語かパーリ語で書かれたものです。ターンが唱えたような、原典にギリシア語版があり翻訳されたということはほぼ不可能であり、そのような想定は不要です。ナーガセーナが語った元の言語はガンダーラ語のような俗語（プラクリット語）だったはずです。最古のテクストがメナンドロス王の治世から一世紀しか経っていない前一世紀に作られたとすれば、そこではギリシア王国と文化の記憶はまだ鮮明だったはずです。

間接的な資料を見ると、世親（せしん）（四世紀）の『倶舎論（くしゃろん）』では「旻隣陀（パリンダ？）」という名前が登場し、『雑宝蔵経（ぞうほうぞうきょう）』では「難陀（ナンダ？）」という名前で引用がされています。「ナンダ」は「（メ）ナンドロス」というギリシア語の一部とも考えられ、ギリシア名の「メナンドロス」はパーリ語の「ミリンダ」や漢訳の「彌蘭（みらん）」というように、この王の名前は異なるバージョンで異なった伝わり方をしたのかもしれません。

†メナンドロス一世とその哲学的背景

「ミリンダ」の名前で登場するメナンドロス一世は、前一六五年から一五五年頃に即位し、前一三〇年頃まで活躍しました。その名前はヨーロッパにも知られ、実際彼の名を刻んだ貨幣が広い範囲で多数発見されています。

『ミリンダ王の問い』では、「かのミリンダ王は、議論とその反対論とをもって質問を発し、比丘（びく）の大衆を悩ましている」と紹介され、議論で無敵の知的な君主として描かれています。「序話」は後世に脚色された主役二人の出会いの経緯で、彼らの前世に遡って因縁が語られます。

ミリンダ王はインドの伝統知識である一九の学問を修め、哲人王として完璧な教育を受けていました。序話で、彼は「賢明、経験豊かで、聡明、かつ敏腕であった。そして過去・未来・現在の事柄に関するあらゆる祈禱や儀式を、なすべきときに敬虔に行った」と言われます。ミリンダ王は学識のある行者や教師がいれば、彼の疑念を払拭してくれるはずだと望みを抱きますが、彼らへの問いかけに満足のいく回答が得られずに嘆きます。「ああ、実に全インドは空っぽである。ああ、実に全インドは籾がらである」。こうして、探求の末に、王はナーガセーナという仏僧に出会います。

メナンドロス一世はアレクサンドロスが築いたギリシア王国の一部を継ぐ、ギリシア人の王です。その周りにはギリシア人の官僚たちが多数集い、ギリシア語によるギリシア的な政治が行われ、王はギリシア文化の教養を身につけていました。彼は、必然的に哲学を学んでいたはずです。

前二世紀といえば、ヘレニズム哲学の後半期に当たりますが、そこではおそらく次のような哲学の動向が学ばれたことでしょう。まず、イオニア自然哲学があり、エピクロス原子論などの唯物論が含まれていました。次に、ソクラテスの影響を受けたキュニコス派やストア派があります。前者の開祖シノペのディオゲネスについては、弟子オネシクリトスがインド哲学との類似性を確認したことを前に述べました。

魂の輪廻転生の教えは、前六世紀末にピュタゴラスがエジプトからギリシアにもたらしたとされ、それを受けたプラトンが魂の不死を論じる哲学を打ち立てました。つまり、インドで広く信じられていた魂の輪廻転生という教説は、ギリシアでも自分たちの哲学の一部として浸透していたのです。

最後に、インドを訪れたピュロンとその系譜、さらにプラトンの学園アカデメイアが前三世紀半ばから転向して拠点となった「懐疑主義」があります。人間は確実な知を得ることはできず、あらゆるものを疑って論破しながら、そこで魂の不動性（アタラクシアー）を得るべきだとする懐疑主義は、ヘレニズム哲学の大きな潮流となっていました。

手強い論客として知られ、あらゆる知者を議論で退けていたミリンダ王は、懐疑主義に通じてその訓練を受けていたことも想像されます。ピュロンに由来するギリシアの懐疑主義はインド哲学や仏教と多くの共通性を有していました。また、アカデメイアではメナンドロス王の同時代にはカルネアデスを学頭として懐疑主義の方法を徹底させていました。

ミリンダ王がナーガセーナと問答により丁々発止の議論を進められたのは、こうした二つの哲学伝統の交流がすでに成立していたからだとも考えられます。

†二人の対話の性格

それでは、『ミリンダ王の問い』で交わされる問答・対話は、どのようなものだと考えられるでしょうか。

「対話」と言うとソクラテスが登場するプラトン対話篇が連想されるかもしれません。実際、研究者の中には『ミリンダ王の問い』にそうしたプラトン的な要素があると考える人もいます。しかし、問いと答えからなる形式とはいえ、プラトン的な対話が「何々とは何か」を問い尋ね、相手の答えを吟味していく問答法だとすると、ミリンダ王とナーガセーナのやりとりをその発展形だと見るのは難しいでしょう。

他方で、古代インドにも賢者たちの「対話・問答」の伝統がありました。問いと答えを通じて遂行されるインド的な対話が、ここで基本となっていると考えることは理に適って（かな）います。しかしまた、『ミリンダ王の問い』はギリシア的な別の形での対話だと考える余地もあります。対等な個人による共同の真理探究ではありませんが、君主が知者に問いを投げかけ、答えを通じて対決する形式、そんな対話形式も古代ギリシアに存在していたからです。

私たちは前に、アレクサンドロス大王がインドの哲学者たちに問いを投げかけたという対話を見ました。王が直接知者を相手に問答を交わすということは、どんな文化にもあるものではありません。ギリシアでは、例えばリュディア王クロイソス（前五九五頃～前五四六以降）が知者ソロンに人生についての問いかけをする、といった逸話が残されており、対話の一つのイメージとなってきました（ヘロドトス『歴史』第一巻二九～三三）。

アレクサンドロス大王から王国の一部を継いだプトレマイオス朝エジプトでは、王プトレマイオス二世（前三〇八～前二四六）がユダヤ教の司祭たちに問いを投げかけている様子が、『偽アリステアス書簡』（一八七～二〇一節）に描かれています。もし、こうした君主と知者の間の哲学的な問答がギリシア的な伝統にあるとしたら、『ミリンダ王の問い』もその系譜に属すると見なすことが可能となります。それは、純粋にギリシア的とまでは言えないにしても、ギリシア哲学に基づく対話、あるいはそれに親和性のある対話だったと考えられるのです。

†魂の実在の否定

では、『ミリンダ王の問い』の最初の部分で、ギリシア人の王と仏教の僧侶の間でどのような問答が行われたのでしょうか。いくつもの重要な論点がありますが、その中で私がもっとも注目しているのは、最古層に属する第二部にある「魂」の存在をめぐる四つの議論です。それぞれ『ミリンダ王の問い』第一編第一章四節、第三章六節、第五章六節、第七章一四節（中村元・早島鏡正訳、第1巻八〇、一五〇～一五四、二〇二、二五一～二五二頁）に当たります。

最初に登場する議論では、ミリンダ王の重臣アナンタカーヤ（ギリシア名アンティオコス）がナーガセーナにこう尋ねます。「わたしが「ナーガセーナ」と言ったとき、そこにおける「ナーガセーナ」とは何なのですか？」。自身の考えを尋ねられたアナンタカーヤは、「〈身体の〉内部に存し、風〈呼吸〉として出入りする生命（霊魂、ジーヴァ）を、わたしはナーガセーナであると思います」と答えます。しかし、その風が法螺貝を吹く際に出るものや角笛を吹く際に出るものと同じだと同意し、それが出たからと言って彼らは死なないことが確認されます。そうして「風」が生命や霊魂であることが否定されます。

第二の議論で、ミリンダ王はナーガセーナに「魂（ヴェーダグー）はあるか」と尋ね、長い議論の末にそれを否定します。さらに第三の議論で、同じ質問に対して少し異なる言い方で再びそれを否定します。

最後に、ミリンダ王は「個我、魂（ジーヴァ）」が識別や知恵と異なるかを尋ね、ナーガセーナは「生きものにおける個我〈の存すること〉は認められません」と答えます。

これら四つの議論で、異なる語彙を用いながら「魂」に当たるものの実在、そしてそれが個人に当たるのかを問い尋ね、ナーガセーナは魂の実体をきっぱりと否定したのです。これらの議論は何を意味するのでしょう。個人の本体が魂であること、その実体を否定することは、「無魂論」と呼ばれる仏教の教えの核心をなします。最初の箇所でアナンタカーヤは、この議論を聞いて仏教に帰依したと言われています。それほどに重要な議論だったのです。

その中でもっとも長いやりとりである、第二の箇所を見てみましょう。

「尊者ナーガセーナよ、霊魂（ヴェーダグー）が認められますか？」

「王よ、そもそもこの霊魂というのは何ものなのですか？」

「尊者よ、内にある個我（ジーヴァ）なるものは、眼によってかたちを見、耳によって音声を聞き、鼻によって香を嗅ぎ、舌によって味を味わい、身体によって触れられるべきものに触れ、意によって事象を識別するのです。たとえば、ここの宮殿に坐っているわれわれは、どの窓でも眺めようと欲する窓から眺めることができる。すなわち東の窓から眺めることもできるし、西の窓から眺めることもできるし、北の窓から眺めることもできるし、また南の窓から眺めることもできる。尊者よ、それと同様に、この内にある個我は、見ようと欲するところのどの門（感覚器官）によってでも見るのです。」（中略）

「このように、これらの諸法（諸事象）は縁より生ずるのです。そこに霊魂は認められません。」（『ミリンダ王の問い』第一編第三章六節、中村元・早島鏡正訳）

魂は存在しない、そう言いきるナーガセーナは、それでは輪廻転生や解脱（げだつ）はどのような意味を持つのか、という次なる問いに向き合うことになります。ですが、「魂」、つまり私という実体が存在しないという衝撃的な議論は、まさに仏教の基盤であり、ギリシア哲学と真っ向から対決する焦点だったのです。

†新奇な言葉遣いの意図

これまで二人の議論は「魂」の存在をめぐっていると紹介してきましたが、それは正確な言い方ではありませんでした。四つの議論で「魂」にあたる単語はいくつかあり、その語義をめぐっては謎があって、現在も研究者たちの議論が続いているからです。

引用した第二議論でミリンダ王が問いかける「ヴェーダグー」という単語は、中村元と早島鏡正（はやしまきょうしょう）（一九二二〜二〇〇〇）の訳では「霊魂」となっていますが、宮元啓一（一九四八〜）の新訳では「我」とされ、漢訳仏典では「人」と訳されています。中村らがここで「霊魂」という訳語を当てた根拠は、『パーリ語・英語辞典』にあります。その辞書では、

「ヴェーダグー」という語が基本的に「知恵の到達者」を意味するが、『ミリンダ王の問い』のまさにこの二箇所のみは「魂」という意味で特殊な使われ方をしている、と説明されているからです。それに基づいて中村はこの議論を「霊魂の否認」と解釈していますが、「我、人」と訳した場合は、また異なった解釈や印象を与えることになります。

二人のやりとりの出だしをもう一度見てみましょう。「ヴェーダグーが認められますか？」と尋ねる王に対して、僧は「王よ、そもそもこのヴェーダグーというのは何ものなのですか？」と尋ね返します。彼はこの単語が何を意味するのかを尋ねており、馴染みない用語であることが示唆されています。「ヴェーダグー」という単語の意味が、現代に至るまで議論があり、説得的で確定的な理解が得られていないのは、当時においてもこの語が持っていた新奇さに由来するように思われます。

私は事態を混乱させた原因は「翻訳」にあるのではないか、と考えています。この問題を少しつっこんで考えてみましょう。

これまでミリンダ王とナーガセーナの「対話」について、ごく普通に語ってきましたが、よく考えると一方はギリシア人の王、他方は地元インドの仏教徒であり、日常で使う言語は別でした。ギリシア人の王とはいえ、インド地域の統治のために現地の言葉に一定程度通じることは必要だったかもしれませんし、おそらくこの地域で生まれ育ったメナンドロスはある程度それらを理解したとも想像されます。他方で、地元の仏教の僧侶がギリシア語に通じていたとは考えられません。すると可能性は二つ、支配層にいるギリシア王があえて現地の俗語で議論したか、通訳を入れて議論したか、です。著作では一言も触れられていませんが、私はこのような状況では有能な通訳が介在して円滑な交流が行われた、とるのが自然だと考えます。王が自身で翻訳をしたと考えてもそれほど変わりませんが、彼の思考はギリシア語で行われていました。そうすると、次のような事態が起こったことになります。

ギリシア哲学に通じた王は、きっと「魂」つまり「プシューケー」について、それを認めるかどうかを尋ねたのでしょう。ところが、通訳はそのギリシア語に「知恵の到達者」を意味する「ヴェーダグー」という単語を当てて、その概念を表そうとしたのです。では逆に、なぜ他の単語を使わなかったのでしょうか。

魂に当たるギリシア語では、別に「プネウマ」という語があり、「気息」を意味します。インドでもリグ・ヴェーダ時代から人間の魂が「息（アス）」であるという観念は存在しており、プネウマはほぼそれに対応します。アナンタカーヤが交わした問答は、「魂」のこの側面を問題にしていました。

他方で、古ウパニシャッド以来、魂を人間の真の自己、つまり「アートマン」とする見方があり、インドで広く受け入れられていました。とすると、ミリンダ王との問答でなぜ「アートマン」という定番の単語が用いられていないのか、が気になります。ヴェーダ以来、「アートマン」は生物の永続的で不変の本質、あるいは真の自己を指す言葉であり、それゆえ仏教ではその実在を否定する議論がすでに展開されていました。私は、「プシュケー」というギリシア語を「アートマン」と訳すこともできたはずだし、そちらの方がはるかに自然だったと考えます。

また、ヴェーダンタ学派に対して、仏教徒は「プルシャ」という単語を用いて、魂は存在しないという立場を論じました。この「プルシャ」という単語も、ここで用いられていません。仏教徒がこれら従来のインド哲学に向けた「魂の実在」を否定する議論を知っていたミリンダ王、あるいはその通訳が、ギリシア語の「プシューケー」をあえて「アートマン、プルシャ」という定番の単語を避けて「ヴェーダグー」という変わった単語を持ち出して「魂は実在するか、それはあなた自身か」を問い尋ねようとした、と考えられるのではないでしょうか。

これはあくまで推測に留まりますが、インド伝来の哲学用語を避け、ギリシア哲学の概念を新たに吟味に持ち出すため、あえて異なる語彙が用いられたとすると、そこに二つの哲学伝統が対決した議論の機微を見ることができます。

†ギリシア哲学の前提を揺るがす

ナーガセーナの答えは「無魂」でした。仏教徒は、識別や智慧のような精神作用は現象的な形として認めますが、それを動かす能動的な存在を背後に想定することは断固拒んだのです。それに対して、問いを投げかけたミリンダ王は、ギリシア哲学の文脈で「魂は実体だ」という立場に立っています。しかしナーガセーナは、これをインド哲学の「魂実体説」と同等と見なして、私たち自身は関係性、つまり「縁」に過ぎないという論拠から魂の実在性を否定しようとしたのです。ただし、インドとギリシアという異なる背景での議論ゆえに、「ヴェーダグー」という新しい訳語が用いられたのでしょう。

ギリシア哲学に通じたミリンダ王は、もしかしたら魂の「流動論」を提示したプラトン『テアイテトス』でのプロタゴラス・ヘラクレイトス説を連想したかもしれません。あるいは、魂の原子論に似たものとして、相手の議論を受け止めているのかもしれません。いずれにしても、魂の実在性を否定する議論は、ギリシア哲学ではほぼ見ることができない、特別で衝撃的な説でした。

「魂」は一方では「気息」とも結びつく「生命」の原理です。「魂を持つ」とは「生きる」という意味であり、「魂がない」は無生物を意味します。また、ソクラテスが進めた倫理学では、魂は自己自身であり、まさに「私がある」ことの本質が「魂」を焦点にして語られます。それが何の実体もない、実在しないということは、プラトンの「魂の不死」に真っ向から対立するだけでなく、ギリシア哲学の基本的な立場と相容れない考え方だったのです。

あらゆる立論に反対を対置するピュロン主義の懐疑主義者セクストス・エンペイリコスでさえ、魂の存在を真っ向から否定する論者は紹介していません。原因をめぐる議論の最中で「魂は存在しないと言う人でさえ、げんに魂を用いてそう表明しているのだとすれば、魂は存在する。したがって、原因は存在する」（『学者たちへの論駁』第九巻一九八）という一節があり、あえて言えば、理論的にそんな立場をとる人が想定されるという程度です。

ギリシア哲学と仏教哲学の決定的でもっとも鋭い違いが、ここにあります。仏徒ナーガセーナは、ギリシア哲学では誰も否定することがなかった「魂」の実在性を断固退けて、「無魂論」を唱える仏教という別の哲学へとギリシア人たちを誘ったのです。

3　二〇世紀日本の関心

†『ミリンダ王の問い』への注目

古代にギリシアとインドの哲学、具体的には仏教が正面から対決した『ミリンダ王の問い』という著作は、仏教では外典でありながら、タイやミャンマーなど南方では人気を集めました。二〇世紀の日本でも、和辻哲郎や中村元の研究や日本語訳を通じて広くその存在が知られています。

しかし、私は海外で研究するなかで、欧米の哲学研究者がこの著作に言及するのを聞いたことがありません。実際、ギリシア哲学についての研究書や論文に出てくることはありませんし、名前さえ知られていないようです。日本の状況とは対照的です。

他方で、中村元や水野弘元らによる日本での高度な研究は、海外ではほとんどまったく知られていません。『ミリンダ王の問い』という著作は、こういったいくつもの無知に彩られています。

ここで、いくつかの問いが思い浮かびます。もし二〇世紀後半の日本の研究が海外で知られていたら、その視野で議論はどうなっていたでしょうか。海外のギリシア哲学研究者は、この著作が開く視野についてどう応答するのでしょう。ここで日本に戻ってこの問題を考えてみましょう。

†日本での紹介

まず、この著作が日本でどう紹介や翻訳がなされてきたかを見てみましょう。やや複雑なのは、パーリ語の『ミリンダ王の問い』と漢訳の『那先比丘経』（それには二つのバージョンがあります）という別の伝承があるからです。

私が調べた限りは、『那先比丘経』が初めて一般に紹介されたのは、前田慧雲著『那先比丘経講義　全』（光融館、一九〇九年）です。前田慧雲（一八五五～一九三〇）は浄土真宗本願寺派学僧で、東洋大学や龍谷大学の学長もつとめた学者です。この本は漢訳をもとに、パーリ語版も視野にいれた和訳で、一般に読まれていたようです。さらに一九三四年には、干潟龍祥（一八九二～一九九一）が翻訳と解題をつけ、『国訳一切経　論集部二』（大東出版社）で出版しました。これは、二種類の漢訳であるA本（二巻本）とB本（三巻本）を合わせた翻訳で、両者の違いも見えるように工夫されています。

『ミリンダ王の問い』は、一九一八年に山上曹源（一八七八～一九五七）が英訳から翻訳した「彌蘭陀王問経（ミランダおうもんぎょう）」が『国訳大蔵経第一二巻』に収録されています。山上は曹洞宗の僧で、駒澤大学学長もつとめました。さらに、シャム字パーリ語本を元にした翻訳が一九三九年に、金森西俊訳「弥蘭王問經」として、高楠博士功績記念会纂訳の『南傳大藏經』第五九巻上・下（大蔵出版）で公刊されました。

こうした戦前の翻訳を受けて、戦後には中村元がこの著作の解明に取り組み、一九六三〜六四年にパーリ語（トレンクナー版）からの中村元・早島鏡正訳が『ミリンダ王の問い』全三巻（平凡社の東洋文庫）として出版されました。詳しい注も付したこの翻訳で、多くの日本人はこの著作を知りました。その後、二〇二二年に宮元啓一による新訳『ミリンダ王の問い』が花伝社から出ています。

このように、日本では二〇世紀にパーリ語本と漢訳本の両方にまたがる複数の翻訳や紹介が出ていて、広い範囲でその存在と内容が知られていました。

†欧米での紹介状況

これと著しく異なるのは、欧米でのこの著作の扱いです。トレンクナー版が一八八〇年に公刊されてから、翻訳や議論は今日まで継続して出ていますが、漢訳『那先比丘経』はほとんど検討されていません。欧米で『那先比丘経』の検討を情報発信したのは、マックス・ミュラー（一八二三〜一九〇〇）に師事した真宗大谷派の南條文雄（一八四九〜一九二七）で、一八八三年にオクスフォード大学出版会から出した漢訳仏典の包括的な英語目録『大明三蔵聖教目録』と解説は、今日まで使われる定番資料になりました。

続いて、高楠順次郎（一八六六〜一九四五）が、一八九六年の英語論文で『那先比丘経』と『雑寶蔵経』を検討し、広く参照されました、高楠は東京大学文学部梵語学講座初代教授で、宇井伯寿（一八八二〜一九六三）ら多くの弟子を育てました。一八九〇〜九四年に、オクスフォード大学でマックス・ミュラーに付いて学んでいます。

パーリ語版と漢訳版のズレは、欧米の研究者たちの関心を引きましたが、漢訳『那先比丘経』が訳されたのはドミエヴィル（一八九四〜一九七九）の一九二四年のフランス語訳でした。それは、このきわめて難解な中国語からの意訳でしたが、その後も今日に至るまで欧米の研究者が依拠する基本文献となりました。

日本では和辻、水野、中村らが『ミリンダ王の問い』と『那先比丘経』とを徹底的に比較検討し、その作業を通じて「原対話」と呼ぶべき部分を取り出していました。それに対して、一〇〇年前のフランス語訳に依拠して漢訳版を直接検討することがない欧米での二〇世紀後半の研究は、テクストの層の違いにあまり注目してこなかったのです。日本と欧米の態度の違いには、漢訳仏典をめぐるこうした研究状況の相違があると推察しています。

†和辻哲郎のギリシア体験

では、二〇世紀の日本人はなぜそれほど『ミリンダ王の問い』という著作に注目したのでしょうか。ここには、日本ならではの関心と視点があります。その典型は、和辻哲郎に見られます。

若き和辻は奈良の寺社をめぐる旅の印象記、一九一九年に公刊した『古寺巡礼』で、しばしばインドとギリシアの交わりに触れています。アジャンター壁画の模写を見て、こんな空想を語ります。

> 僕の漠然たる推測から云うと、〔中略〕印度化した希臘人――特に印度人との混血児であり、幼時から印度の空想の間に育った希臘人――の手がここに加わっているということは、あり得ないことでもない。（『初版 古寺巡礼』ちくま学芸文庫、二〇一二年、一四頁）

仏像とは、インドで成立した仏教での表象を中国を通じて日本が取り入れた遺物です。ですが、和辻はそこにインドを通じてはるかギリシアの姿を見てとります。薬師寺東院堂聖観音（しょうかんのん）についての評を聞きましょう。

神を人間の姿に現われしむるという傾向は、文化的には、「印度」を「希臘」の形に現われしむるという事にもなると思います。〔中略〕それは希臘と対峙するものではなく、父印度母希臘の間から生れた新しい子供なのです。（同二〇一～二〇二頁）

今、奈良で対面しているこの仏像は、インドとギリシアの子供です。日本に伝来した文化は、まさにその二つの文明の末裔なのです。しかも、中国にはそのうち「希臘的の偉大性と艶美」だけが伝わったと想定しました（同一九六～一九七頁）。つまり、日本の天平芸術は、ギリシア文化の精神性の精華をそのままに残していることになります。

和辻の『古寺巡礼』は世代を超えたベストセラーとなり、日本人の精神性に大きな刻印を残してきました。ギリシアとインド、二つの文明が出会った場所、それは西北インドのガンダーラです。和辻はその単行本を岩波書店から出版した前年、『読売新聞』に「健陀羅まで（ガンダアラまで）」という短編小説を連載しました。* アレクサンドロス大王に随行したあのカリステネスを主人公とし、悩みを抱えたこの青年がインドで仏徒に出会うという設定でした。ギリシア人が東へと旅してインドで仏教に出会う、それは日本人が西へと想像の旅を行い、中国からインドに至る、その二人の出会いの体験と言えるものです。

＊『読売新聞』一九一八年三〜四月（『和辻哲郎全集』第二〇巻、岩波書店、一九六三年所収）。

†日本に到達したギリシア？

極東に位置する島国の日本は、ヨーロッパの地中海東部にあるギリシアと、地理的にも歴史的にも無縁であると思われがちです。しかし、この日本にもギリシア文明は到達しており、それはインド・ガンダーラから中国を経て到来した仏教芸術である。そこにギリシアの精髄が現れている。そんな大きな歴史のストーリーが、明治期の日本人が飛びついた想像でした。

フェノロサ（一八五三〜一九〇八）の影響を受けた岡倉天心は、一八九〇〜九二年の「日本美術史」講義で、法隆寺金堂壁画や仏像について「これインド・ギリシア風の輸入にして、すなわちこの二国風の混和せるもの」と語っています。幕末から西洋文明に出会った日本は、その起源にある古代ギリシアと、すでに遠くはるか昔からつながっていた、そんな想像は日本人にとって心地よい認識でした。

岡倉の講義から少し後、伊東忠太（一八六七〜一九五四）は「法隆寺建築論」（『建築雑誌』八三号、一八九三年）で法隆寺がパルテノン神殿の影響を受けていると主張しました。柱の「エンタシス」という特徴で、この説は広く流布します。今日では根拠が薄いとされるこの見方も、日本がギリシア文明の子孫であるという俗説の流布に大いに貢献しました。

岡倉天心はその後、インド旅行の経験を経て考えを完全に変えてしまいます。インド美術のギリシア系統説を否定して、仏像など東洋美術はギリシア美術の影響ではない、と唱えることになります。[*] 天心のこの転向は、インドを起点とするアジア主義という別の大きなストーリーを作るものでした。

＊外川昌彦『岡倉天心とインド』（慶應義塾大学出版会、二〇二三年）参照。

若き和辻が奈良の仏像にギリシア文化を見たのは、古代ギリシアへの憧れと、西洋文明と起源を同じくするという新たなアイデンティティに基づく日本文化への自負からでした。インドにおいて西洋と東洋の接点を見ること、そこに日本文化の原点をおくこと、それが、二〇世紀の日本人が『ミリンダ王の問い』にこれほど注目した理由ではないでしょうか。

和辻哲郎に憧れ、東京大学で一時期同僚となった中村元は、ガンダーラへの注目、つまりギリシアとインドの出会いというファンタジーを、おそらく和辻から受け継いだと思われます。そして中村は、その想像を文献学と哲学で確証していったのです。

†西洋哲学と日本哲学の分岐点

最後に『ミリンダ王の問い』に見られるインドとギリシアの哲学の出会いが、その後、どんな道を辿ったか、世界哲学の視野で見てみましょう。

ミリンダ王に代表されるギリシア哲学は、魂という主体の実在性など絶対的存在を基盤にした西洋哲学を生み出します。それに対して、ナーガセーナが説いた仏教は、魂や自己(アートマン)の実在を否定する「無我論」を進め、「無」を基本とする哲学に至ります。それは「諸行無常」と呼ばれる、不変で永続的な自己や本質はない、という徹底した立場です。

ギリシア哲学はキリスト教を通じて西洋哲学の存在論の伝統を生み出しましたが、インド哲学はやがて日本にまで伝播して「絶対無」をうたう西田幾多郎らの近代日本哲学を促しました。もっとも、この「無」という近代日本の概念も、実は仏教だけでなく西洋哲学の影響を受けていると考えるべきかもしれません。この点は『世界哲学史8』第9章「アジアの中の日本」(二三九頁)で朝倉友海(ともみ)(一九七五〜)が鋭く指摘しています。

こうして、ギリシア人とインド人の出会いと対立が、現代に至る哲学伝統の基本的な違いにつながっているのです。

世界哲学の構想

第9章　ギリシア哲学という基盤

1　古代ギリシアの見直し

†起源としてのギリシア哲学

Ⅱ部では、世界哲学の諸相としてアフリカ哲学、現代分析哲学、東アジア哲学という三つの事例を検討し、さらに、複数の哲学伝統の関係として古代インドとギリシアの出会いを見てきました。Ⅲ部では、新たな世界哲学の展開をにらんで、未来の哲学を論じます。

西洋哲学の起源とされるのが、古代ギリシアの哲学、つまり前六世紀初めから後六世紀まで地中海で展開された多様な思索の営みだったことは、すでに何度か触れました。私はその哲学について、『ギリシア哲学史』（筑摩書房、二〇二一年）で全体像と前半部（初期、古典期）の哲学者たちを論じました。

「世界哲学」の必要性を生み出した「哲学すなわち西洋哲学（フィロソフィー）」という私たちの認識は、起源としての古代ギリシア哲学への参照に基づいています。つまり、現在大学や学問の世界で「哲学」と呼ばれているのが、西洋、正確には西ヨーロッパと北アメリカで遂行されてきた哲学であり、それ以外は「哲学」の名に値しないという見方は、その「哲学」が古代ギリシアに始まった「フィロソフィアー」の正統な後継者だというアイデンティティに依拠しているのです。この「西洋哲学すなわち哲学」の見方が誤ったものであり、私たちが真に哲学を遂行する妨げとなる偏見であることは、本書を通じて確認してきました。本章では、新たな「世界哲学」に向けて、その古代ギリシア哲学をどう見直すか、それがどのような意味で「哲学」なのかを再検討します。

「世界哲学」という名前で「西洋哲学」からの解放を謳っておいて、結局ギリシア哲学に戻るのでは期待外れだ、と感じる人もいるかもしれません。しかし、そもそもなぜ西洋哲学が古代ギリシアを起源としているのか、あるいはその起源説は正しいのか、そういった根本的な反省なしに、西洋哲学の偏重や独占だけを批判しても、所詮「世界哲学」は各地域の伝統の寄せ集めに過ぎません。「哲学」を「世界哲学」へと解き放つには、今一度古代ギリシア哲学に立ち返って、その可能性、および後世との関係を徹底的に再考することが必須です。

†古代ギリシア哲学の継承

世界哲学におけるギリシア哲学の見直しには、古代ギリシアで成立した哲学（フィロソフィアー）がその後どのように継承され、受容されたかについて見ておくことが有用です。

従来の哲学史、つまり西洋哲学史では、古代ギリシアに始まった哲学は中世キリスト教哲学を経て、ルネサンスで復活して近代哲学を成立させて現代に至る、といった直線的な歴史が描かれてきました。ヘーゲル的な哲学史観に顕著な図式では、古代ギリシア哲学が発展して現代までに完全な哲学が実現することになっています。しかし、歴史がそのように単純で、都合の良いものでないことは明らかです。古代ギリシアの位置づけに絞って問題点を挙げてみても、この点は容易に納得されます。

まず、「古代ギリシアで哲学が始まった」という言説が、それ以前の思索や探求、具体的にはエジプトやメソポタミアや前七世紀以前のギリシアを無視している点は明らかです。また、インドや中国をはじめ、他の地域で「哲学が始まった」という重層性を認めず、いわば唯一の「始まり」としている点にも疑問が残ります。そこでは「フィロソフィアー」という言葉が生まれたのが古代ギリシアであること、その後この営みが各地で「フィロソフィー」といった音写によって後世に受け継がれたことが強力な論拠とされますが、そのような言葉遣いだけでは何も証示されません。

次に、古代ギリシア哲学がローマに入り、やがてキリスト教哲学に代わられたことは歴史的に正しいとして、それがギリシア哲学が辿った唯一の道筋ではありませんでした。東ローマ帝国が存続したビザンツでは、ラテン語ではなくギリシア語が用いられたため、プラトンやアリストテレスを中心とする古代哲学はより完全な形で継承されます。カトリックのラテン中世が、プラトンやアリストテレスを限られたラテン語訳を通じてしか知らなかったのとは対照的に、ビザンツやその勢力圏にあった南イタリアなどでは、彼らの著作が絶えることなく書写され、学校などでも教えられていました。

日本ではあまり知られていませんが、ビザンツで受け継がれたプラトンや新プラトン主義の哲学が、アルメニアやジョージアやロシアといった東方キリスト教の世界に入って独自に重要な伝統を作ったことも指摘しておきます。

アレクサンドリアからシリアやアラビアに入ったギリシア哲学、この場合は主にアリストテレスやギリシア科学ですが、それがイスラーム哲学に大きな影響を与えました。その哲学的刺激が一三世紀にイベリア半島経由でラテン中世に至り、スコラ哲学を活性化させたこともよく知られています。

その後もギリシア哲学は、スペインやポルトガルから植民者が進出した中南米世界では、カトリック思想の基礎として重要な教育科目となっていました。また、東アジアでもイエズス会士がアリストテレス哲学の一部を紹介した後、明治期からは日本を中心に、ギリシア哲学はヨーロッパ哲学の基盤として直接思索に刺激を与えてきました。

こういった意味で、古代ギリシア哲学は、いわゆる「西洋哲学」でのみ発展したのではなく、多くの他の哲学伝統にも影響を与え、そこでも別の形で哲学を生かし続けたのです。和辻哲郎や井筒俊彦が考えたように、日本もある意味でギリシア哲学の子孫と言えるかもしれません。現在の西洋哲学が特権的かつ独占的に「ギリシア哲学起源」を主張するのは、その限りで偏ったイデオロギーと歴史の誤解に他なりません。

†言論の自由

古代ギリシアの哲学を見直すためには、当然その背景、とりわけそれが他の文明とどう異なっていたかを考慮する必要があります。古代ギリシアを特徴づける社会的・文化的な背景として、二点を取り上げます。「言論の自由（パレーシアー）」、および「話し言葉／書き言葉の葛藤」です。

古代ギリシアが他の諸地域と異なっていた点があるとすると、それは比較的小規模のポリス（都市国家）が並立する多元的な政治体制だったことです。ギリシアには大小で千以上のポリスがあったと言われています。アテナイなど多くのポリスでは民主（デーモクラティアー）制が採られ、それ以外のポリスでも王など強力な政治権力は発達しませんでした。この多元的で開かれた政治体制は、「パレーシアー」と呼ばれる「言論の自由」を生み出し、文化一般、とりわけ哲学の発展を支えました。古代ギリシア哲学の「パレーシアー」については、晩年のミシェル・フーコーが集中的に考察し講義しました。*

＊ミシェル・フーコー『真理の勇気——コレージュ・ド・フランス講義 一九八三－一九八四年度』（慎改康之訳、筑摩書房、二〇一二年）参照。

政治権力や社会構造との関係で言論や思索がどう変わるかは、証明や検証ができない推定上の問題です。しかし、王ファラオが政治と宗教を支配していたエジプトや、広範な地域を支配して権力を振るったペルシア王の下では、官僚や神官が知識を独占していて、自由な議論や開かれた学問は発達しませんでした。対照的に、ギリシアでの活発な言論活動は、ポリス社会での「言論の自由」に裏打ちされて展開したものと推定されます。

同時代では中国で「諸子百家」と呼ばれる多様な思想家が活躍し、インドでも伝統的なバラモン教やヴェーダに対抗して仏教やジャイナ教などが興って論争を展開していました。そういった同時代の多様性と比較するのも興味深いでしょう。

しかし、古代ギリシア世界でも、前四世紀後半からマケドニア王国による支配が進み、ヘレニズム諸王国が競う時代に入ると、哲学議論は平等な市民同士から王と知識人という関係に移行して、ポリス社会の思想枠組みは変質します。思想の多様性が失われたとまでは言えませんが、ローマ帝国ではさらに強大な皇帝権が発生するため、そこでの哲学がどのような傾向を持ったかも注意深く考慮していく必要があります。

†話し言葉と書き言葉

次に、「話し言葉／書き言葉」という問題を考えてみましょう。ホメロスやヘシオドスが叙事詩を歌った前七〇〇年頃のギリシアは、ほぼ純粋な話し言葉の世界でした。つまり、思想や文学や政治や社会のすべてが口誦でなされていて、文字による書き言葉の使用と役割はごく限定的でした。フェニキア文字から創作したギリシア語アルファベットがすでに使われ始めていましたが、碑文や書簡など限定的な使用であり、あらゆる文化や思索は話し言葉で行われました。ホメロスの膨大な詩行も、プロの朗誦家（ラプソードス）が各地で歌って聴衆に聞かせるものでした。哲学も最初は対面で行った問答や討論だったはずです。

そこに「書き言葉」が導入され、書き物としての哲学著作が流布して議論スタイルが変わったのは、おそらく前六世紀、つまりギリシア哲学が始まったといわれる時期です。韻文に代わって最初に「散文」で論文形式の思索を著述したのは、ミレトスのアナクシマンドロスだと言われています。今日では当たり前になった論文・著作での哲学説の発表と流布は、こうしてアルファベットの書き物と共に始まったのです。

さらに「書き物」は思索の内容自体にも影響を及ぼします。書かれた言葉に依拠して「謎」を投げかけたのがヘラクレイトスです。話し言葉と書き言葉の対抗と緊張、それがプラトン『パイドロス』の「書き言葉」批判をはじめ多くの議論の背景にあります。とりわけ、弁論術(レートリケー)という「語りの技法」を洗練させたソフィストたちは、プラトンら哲学者からは批判され排除されながら、人文学の伝統を脈々と伝えていったのです。

他方で、中国、東アジアでは書き言葉である「漢字、漢文」が文化や哲学の基盤となりました。また、インドでは書き物がそれほど重視されず、口承の文化が長く続きました。それに対して西洋では古代以来の話し言葉の優位が影響を残し、そのなかで書き言葉とのズレがさまざまな哲学的思索を促しました。ジャック・デリダがエクリチュールやグラマトロジーの考察を通じて、問題を明らかにしています。哲学をめぐるそうした媒体の基盤、その違いも注意されるべきでしょう。

2　フィロソフィアーの特殊性

古代ギリシア哲学の豊かさと可能性

古代ギリシア哲学を見直す視点として、それが後の西洋哲学が主張するほど確固とした「哲学の起源」と言えるのか、むしろ古代ギリシア世界で展開された思索ははるかに多様で豊かなものではなかったかという問題があります。現在では無視されている多くの可能性がそこに宿っており、けっして合理性や批判性の基盤だけではなかったのです。さらに、古代ギリシアの哲学はかなり特殊な思考であり、けっして万人がすぐに同意したり完全に納得したりするようなものではなかったと考えられます。

ギリシア哲学が実に多種多様だったことは確かですが、それをここでそのまま紹介することはできません（拙著『ギリシア哲学史』を参照下さい）。むしろ、それがどのような意味で多様だったか、なぜ多様であり、それを特徴としているのかを解明することに意味があります。その点を意識しながら、ギリシア哲学ならではの特殊性を論じていきましょう。

観想と実践

古代ギリシアという文化・社会において「フィロソフィアー」がどう成立したのか、それは何だったのかを考える上で、「観想（テオーリアー）」と「競争（アゴーン）」の二つがキーワードになります。

古代ギリシアの哲学者たちは、対立と類比の思考を通じて、人間、世界、知性のあり方を対抗的に論じて明確化してきたからです。

古代ギリシアの哲学をエジプトやメソポタミアといった先進文明や他の地域での文化から区別する一つの特徴は、知ることそれ自体を目指し、そこに人間のあり方の実現と幸福を求める「観想（テオーリアー）」の重視にあります。

物事をありのままに見ることが「知る」ことであり、ギリシア語では「見る（イデイン）」という動詞は「知る（エイデナイ）」に通じています。プラトンの「イデア」はこの「見る」という語から派生し、知性が関わる対象を意味します。「観る（テオーレイン）」という営みは、見る者と見られる対象との間で成り立ち、近代哲学では「主体／客体」と呼ばれる二者の関係で考えられています。ですが、ギリシアにおいては、それらがまず別々でありその間で新しい関係が生じるというより、「観る」という一つのあり方において二つの側面として両者が成立すると考えられていました。見る者はそれを見ることで対象と関わる自己のあり方を実現します。何を見るか、どう見るかで見る者のあり方は変わりますが、その変容が、「フィロソフェイン、知を愛し求める」ことで遂行されたのです。

万物の始源について「水だ」と語ったタレスには、「観想」を代表する哲学者としての逸話が残されています。ミレトスの政治家として実務でも知恵を発揮したタレスでしたが、実践に用いられる知識には重きをおかず、根源的な問いを思索しました。人々がタレスの貧困をあげつらい、哲学の無用さを非難した際、彼は天体の知識を活用してオリーブの豊作を予測し、冬の間にミレトスとキオスの全てのオリーブ搾油機を安価で契約して、収穫期に大儲けしたと言います。それを『政治学』（第一巻一一章）で報告したアリストテレスは、その行為によってタレスが、「哲学者は望む場合には簡単に金持ちになれるが、それは真面目に取り組むことではないと示した」と述べます。

ピュタゴラスは「哲学者（フィロソフォス）」という人間のあり方を初めて語ったとされますが、それは三種類の人々の比喩で示されます。

> 人間の生は競技会に赴く人々に似ている。ある人は競技で勝利して名誉を得ることを求め、またある人はそこで物を売って利益を得ようとする。しかし、最も優れた人は競技を観るためにやって来る。そのように、私たち人間の生においても、名誉や利益のような奴隷的なものを求める生き方に対して、真理を観想し愛し求めるフィロソフォスの生こそが最も望ましい。

この比喩が示すのは、私たちが求めて生きる対象には「金銭と名誉と知」があり、その中で知を愛し求めること、つまり真理を観想することこそが人間に相応しい営為だという認識です。金銭を求めて商売をしたり名誉を求めて政治や社会活動する生き方は「実践」を重んじる態度ですが、そこからできるだけ離れて、真理そのものを徹底的に知ろうとする「観想」の態度こそが、知性を発揮する人間のあり方なのです。

†観想に基づく哲学

アリストテレスは、人間の幸福は徳に即した現実活動であり、人間の最高の徳が「知性」にある以上、それを現実活動させ実現する善きあり方は人間に固有の働き、すなわち「観想(テオーリアー)」であると考えました。幸福は自足的でそれ自体で望ましい活動です。それは、人間が可能な限り「観想」に与ることでした。この考えはプラトン主義の伝統では、「人間に可能な限り神に似ること」と呼ばれますが、それを徹底させたのが、新プラトン主義の創始者プロティノス(二〇五頃〜二七〇)であり、彼の哲学は究極の観想である「神との合一」という境位を目指します。

「観想」というあり方を基本とする哲学は、外在する事物を見るという日常の経験から離れ、それを見る自己へ、そしてその起源にある「観る」というあり方そのものの成立へと遡ります。見る者と見られるものが「観る」という関係にあるのは、それらが元来は一つであったという根拠に由来します。自己とは「観る」ことで成立するあり方であり、それゆえ、対象を見ることは自分自身を観るという「反省」を伴います。そこにある究極の自己は、アリストテレスの言う「思惟の思惟」であり、プロティノスが考えた、知性と存在が一致する根源的な「一者」に他なりません。それが「観想」を重んじるギリシア哲学の考え方でした。

ギリシア哲学では、何かの役に立つとか、生活が便利になるとかいった実用性はあまり考慮されず、また、何かを動かして変えていくという実践も必ずしも重視されてはいません。無論、「弁論術（レートリケー）」のように、言論によって人の心や社会に働きかけるという技術も哲学の一部として追求され、実践的な知としての「思慮（フロネーシス）」も重んじられました。しかし、それらですら単に技法を身につけて行使するという実践には留まらず、そうした実践がどのように可能であり、その根拠は何か、という理論的考察に裏付けられたものでした。『ニコマコス倫理学』『エウデモス倫理学』という二つの著作で残されたアリストテレスの倫理学講義も、「善き人になる」ことを目的としながら、理論構築を行う知的営為だったのです。

このように、「観想」という枠組みを確立してそれを徹底的に追究した点が古代ギリシア哲学の特徴であり、その中で諸々の領域や学問が成立してきたのです。この点は、多様な思索や議論を展開したギリシア哲学者たちの多くに共通する基盤と言えるでしょう。

†統一的な総合知

古代ギリシアでは哲学者たちがさまざまな問題を論じていましたが、それらは個別独立のテーマではなく、その全体が「哲学」でした。この普遍性もギリシア哲学を特徴づけます。現代では世界観、論理学、認識論、言語哲学、学問論、存在論、形而上学、神学・宗教哲学、倫理学、政治哲学、芸術哲学などと呼ばれる諸領域は当初は截然と分かれておらず、「フィロソフィアー（知の愛求）」といういわば一つの大きな知の流れとして始まっていました。それらが問いとその応答として展開するなかで、次第に区別されて、哲学の領域が成立しました。哲学の三部門として「論理学、自然学、倫理学」の区別を打ち出したのは、学園アカデメイアで研究していたクセノクラテス（前三九六〜前三一四）だと言われています。この分類はストア派に受け継がれて、現代の哲学の枠組みにも使われています。

それらの領域は互いに連関しあっており、他から切り離して単独に取り出せるものではありません。例えば、いかに生きるのかという倫理の問題は、私たちが生きる世界はどのようなものかという世界への問いや、その始源は何かを原理的に問う存在論と一体であり、さらに魂や言論や認識といったそれぞれの問題と結びついて、初めて十全な探究となります。それらの探究を言論に表して追究する総合的な営みが「フィロソフィアー、哲学」でした。こうして「すべてを知る」ことを目指す「フィロソフィアー」の統一学が成立しています。

インドや中国や日本では、この「哲学」に匹敵する包括的な知の営みが認められませんでした。しかし、ギリシアには「観想（テオーリアー）」という知の基本があり、その総合性が哲学を形づくっていました。それが、一九世紀半ばに西周が「フィロソフィアー」をあえて「希哲学」という新語で翻訳した理由でした。他方で、これが西洋文明を通じて「フィロソフィアー」を特権視する姿勢にもつながりました。

†アゴーンの精神

ギリシア哲学の営みに見られるもう一つの特徴は、それが競争的な関係において発展的に遂行された点です。ギリシア文化の特徴として「競争（アゴーン）」が挙げられますが、それは社会のあらゆる側面で発揮される基本精神でした。

オランダの歴史家ヨハン・ホイジンガ（一八七二〜一九四五）は著書『ホモ・ルーデンス』（一九三八年）で、文化において「遊び」という要素が持つ重要性を広い視野から考察し、人間を「遊ぶ人（ホモ・ルーデンス）」と呼びました。その中で、古代ギリシアは「競争」という遊びを基本に展開した文化とされ、哲学や芸術も遊びを通じて発展したと論じられています。

ホメロス叙事詩で活躍する英雄たちは、互いに武勇や戦果を競うと共に、それぞれが自らの立場や考えを言論で提示して討論しあい、開かれた競争を行っていました。武勇については、実際の戦闘場面だけでなく、戦死者を顕彰する競技会において、順位をめぐる競争がより印象的に発揮されます。そうして競って獲得を目指すのは、実利ではなく純粋な栄誉と、永久に残る名声でした。

競争は互いに自らの能力をぶつけあって勝敗を決めるもので、そのために日々鍛錬を積んでいきます。勝利は自分自身や家や出身ポリスの名誉ともなりますが、それ以上に、神が嘉する人間の善きあり方でした。それを代表するのが、四年に一度聖地オリュンピアで開催されたオリンピック競技会です。ゼウス神に捧げるその祭典では、スタディオン徒競走をはじめとする運動競技で、全ギリシアから集った人々が肉体と精神を競います。そこでは、順位ではなく優勝が目指され、勝者に授けられる栄誉はオリーブ冠だけでした。スポーツというゲームにおいて勝敗を競う精神は、言論における競争、とりわけ哲学での「論争」に対応しています。それは、真理を目指して対抗する「言論」の争いでした。

神々に捧げる人間の制作品としては、神殿などに置かれる彫刻に加えて、アテナイで開催された悲劇と喜劇のコンクールがありました。ディオニュソス神を祝う春の祭典では、毎年新作が劇場にかけられて観客の投票によって順位が決まります。それは詩人にとって最高の栄誉であり、優勝を賭けて言論の制作が競われたのです。アイスキュロス（前五二五頃～前四五六頃）、ソフォクレス（前四九六頃～前四〇六頃）、エウリピデス（前四八〇頃～前四〇六頃）といった悲劇詩人や、アリストファネス（前四四六頃～前三八六頃）ら喜劇詩人は、前五世紀後半のアテナイでソフィストや自然学者やソクラテスたちと知的風土を共有しながら、言論を通じて人生や世界についての模倣的再現（ミーメーシス）を競っていました。

　こういった自由な競争が可能となった背景には、先ほど触れた「パレーシアー」があります。ポリス社会で人々が享受した言論の自由は、活発な議論から新たな知の展開を促しましたが、その一方で激しい論争や非難をもたらし、政治においてはデーマゴーゴス（大衆煽動者）やシュコファンテス（訴訟常習者）を生み出しました。民主制のアテナイでは、民会など政治議論の場では政策提案や審議に演説の能力が必須であり、法廷では告発する側も訴えられて弁明する側も、多数の裁判員の前で演説して評決を自分に有利にする必要がありました。

　こうして随所で要求された競争（アゴーン）は、哲学の発展においても決定的に重要な役割を果たしました。「論争」は単に相手の主張を退けて勝利するというだけでなく、正しい議論と誤った議論を選り分けるという考察を要求し、それが言論の学問へとつながったからです。

†問答と哲学論争

競争が成立するためには、それが行われる場の設定と参加者、さらに勝敗を決める審査員が必要です。競争を好んだギリシア人は、公正に行われる競技のルールと、公平な判定を重んじました。哲学における「問いと答え」、つまり問題提起とそれに応答する論争は、そのような競争の秩序に則って進められています。その問いと答えが、いくつかの筋としてギリシア哲学を展開させました。*

＊納富信留『西洋哲学の根源』（放送大学教育振興会、二〇二二年）は十の筋でまとめている。

タレスが「水だ」と語ったのは、「万物の始源（アルケー）は何か」という問いへの応答でした。そのように、ギリシアの哲学者はまず「問い」を立て、それを共有した上で、各哲学者が異なる「答え」を提案して対抗していました。競争は敵対だけでなく、同じ問いに向き合って生きるという「共生」を必要とします。哲学者たちは多種多様な思考や活動を続けながら、一体として知を求め続けたと言えます。そうして哲学の営みは、複数の問いを問いつつ、それに対して答える相互の織り成しとして遂行されました。さらに、それを判定する審査員として、ギリシアの知識人たちは互いに意見を交わし、厳しい批評眼を鍛えていきました。

投げかけられた問い(プロブレーマ)には、人類が長く受け継いできたものもあれば、誰かが新たに提示したものもあります。世界のあり方についての問いは人類に普遍的な問いの代表でしたが、「ある」をめぐるパルメニデスの言葉は、新たに提起された問いの典型です。

問いかけは相手に理解されて正面から応答されることもあれば、誤解されたり別の問いとなったりすることもあります。また、応答を通じて新たな展開が見られる場合もあります。「神とはどのような存在か」という問いかけは、「そもそも神を知ることができるのか」や「神は存在するのか」という、より根本的で過激な問いへと転換したのです。そこからは、神をめぐる多様な見方だけでなく、「神を知ることはできない」という懐疑論、不可知論や、「神は存在しない」、あるいは「神は人間が作り上げたものだ」という無神論も生まれました。

また、競争は特定の問題への複数の回答という形ではなく、語り方のスタイルそのものの開発と提示という形でも追求されました。古代ギリシアでは散文の論文の他に、叙事詩やエレゲイアなどの詩、箴言、対話篇、書簡など、実にさまざまなスタイルが哲学で使われてきました。こういったスタイルは内容やメッセージと連動しながら哲学者の間で競われてきたのです。

このように、問いかけは答えを促すことで応答の対で成立します。答えを提出する者は、議論全体においてそれに仮説（ヒュポテシス）という性格を与え、それが検証や反証に付され、整合性などが吟味されます。答えが展開していくのは、問いに対する一つの答えが他者によって批判されたり評価されたりすることで、欠点や弱点が補われるからです。競争は互いに厳しい批判を加えることを意味し、その精神は批判の道具としての言論（ロゴス）を鍛えていきました。

言論を通じた問題提起の典型は、エレアのゼノン（前四九四頃〜前四三〇頃）の議論です。そのなかでもっとも有名なのが「アキレスはカメを追い越せない」というパラドクスです。この言論は、運動の可能性を否定するパルメニデスの立場を背理法で示す意図があったと言われ、常識を唱える相手への対抗でした。「もし運動があったとしたら、矛盾が生じる。したがって運動は存在しない」という議論です。でも、アキレスがカメを追い越すことなど、実際に動いてみれば明らかなことだ、と思われるかもしれません。古代でも、目の前で歩いてみせた哲学者がいた、と伝えられます。しかし、それはパラドクスに対しては何の解決にもなっていません。言論の上で起こった困難には言論で、つまり論理で解決することが求められているからです。これが言論による競争のルールでした。

†争いを通じた批判

言論での争いそのものを専門としたのが、ソフィストや弁論家でした。彼らは論争のための「言論の技術」を開発して人々に教えていきました。それが「弁論術（レートリケー）」です。ソフィストはしばしば「詭弁の教師」として否定的に扱われていますが、知識を一般に広め、やや過激な議論で哲学の問いと答えを活性化させた意義は評価されます。

ソフィストたちが言論で遂行した「争論（エリスティケー）」で「争い（エリス）」とは、罵倒や暴力に陥ることなく、あくまで言論によって相手を論破することで、その真偽や勝敗は聴衆に任ねられました。ギリシアの知識人は議論の競争を判定する審査員として、互いに意見を交わして批評を展開しました。また、聴衆自身も語り手や応答者になることがあった以上、全ての人が相互吟味と自己吟味を強いられて、自らの思想を鍛えていく土壌が成立したのです。

また、ある答えに対抗して、あえてそれとは異なる答えを提出してそれらの対立が競技として判定されることもありました。ソクラテスの弟子たちが書いた対話篇で、「ソクラテスとは何者か」に実に様々なイメージが提出されたのは、著者の間での対抗的な誇張が作用したからだと想像されます。*ギリシアの哲学はそのように問答の競争として、より先鋭な答えと新たな提案を促し、さらなる問いで新たな議論の場を創出しながら発展してきました。

*納富信留『哲学の誕生――ソクラテスとは何者か』（ちくま学芸文庫、二〇一七年）参照。

この対抗的競争は、権威となる知者や教祖の教えを忠実に受け継ぐ伝統の姿勢とは真逆のものでした。古代ギリシアでも、ピュタゴラス派やエピクロス派のように始祖を神聖化してその教えを守る傾向の教団もありました。しかし、学園アカデメイアのように、創始者プラトンのイデア論を弟子たちが積極的に批判することでそれぞれが自身の哲学を展開する開かれた議論の場もありました。学派という集団が持つ性格からいえば、後者がヨーロッパの学問のモデルとなったのです。ギリシア的な伝統は、先行する学説や教説を批判しそれを乗り越える姿勢により力点があったと言えます。

†反対と媒介

言論を通じた競争という哲学のあり方は、ギリシア人の思考そのものを特徴づけます。競争や対抗は、反対の考え方を提示することで遂行され、そこで相対立するものにさらに対抗するために、新たな反対が生み出されたからです。

例えば、イオニアの自然学では万物の始源をめぐって「水、空気、火」といった基本物体の間での対抗提案がなされましたが、エンペドクレスはそれらを一つにまとめ「四根」とした上で、それを動かす「愛と争い」という別の原理を導入しました。また、アナクサゴラス（前五〇〇頃～前四二八頃）は「知性（ヌース）」という非混合の原理を、混合する事物と並んで立てました。そのように、反対性の間で対抗が繰り広げられるなかで、別の新たな思考が開かれたのです。ヘラクレイトスはそうした思考を「反対者の一致」として提唱しました。これは、一九世紀にヘーゲルが「弁証法（ディアレクティーク）」と呼んだ思考の方法でした。

反対が生じるためには、従来漠然と一つに見られていたものに分割を加え、それらが対立する様を見て取ることが必要となります。哲学的思考の基礎となる「分析（アナリュシス）」は、その精緻化です。異なる要素を析出してその間に反対の関係を見て取ることが、哲学の展開を促します。

これを哲学の方法として理論化したのが、プラトンの「ディアレクティケー（対話術、問答法）」でした。それは元はソクラテスの「対話（ディアロゴス）の技術」を意味していましたが、真理を探究する言論の遂行法としてプラトンが理論整備したものです。具体的には、見渡した事物を類に取りまとめる「総覧」と、類を種へと区別する「分割」で成り立ちます。学園アカデメイアで学んだアリストテレスは、ディアレクティケーを哲学の一般的な方法として整備して『トポス論』で論じました。

†神と人間

ギリシア哲学を動かしたもっとも基本的な対立軸は、神と人間という区別、その関係でした。不死にして全知で、正義と秩序を司る神については、叙事詩がその言葉を伝える形で人間に関わってきました。そこで対照される人間は「死すべきもの」という有限性にあり、その限界を自覚しつつ無限なる神にどう関わっていくかが問題となりました。神と人間の違いは、「知」に関わる範囲や確実性の問題、そして幸福という問題であり、存在のあり方の違いでもありました。

他方で、プロタゴラス（前四九〇頃〜前四一五頃）らソフィストは神との区別に疑問を向け、人間を中心とする思索を展開しています。「人間は万物の尺度である」という有名な言葉は、こうした人間中心主義の宣言でした。ここでも「反対」を特徴とするギリシア哲学の多様性と豊かさが見られます。

神と人間をつなぐのは、言論・言葉（ロゴス）であり魂（プシューケー）です。言葉は本来は神に属するものと考えられていましたが、人間がそれを語ることで神の知や実在に与る方向が追求されました。それが、イオニアで始まった「探究（ヒストリアー）」でした。また、魂は、人間やあらゆる生き物が生きる原理であり、宇宙そのものの原理とも捉えられました。ピュタゴラス派を受けたエンペドクレスは、魂を浄めることで不死なる神の境位に到達すると考えました。また、プラトンの哲学を受けたプロティノス（二〇五頃〜二七〇）は、魂を感覚の世界から超越させて知性へと向かい、最終的にはロゴスを超えた「一者」に還帰することを目指したのです。

しかし、神と人間の間には「見えるもの／見えないもの」という決定的な差があります。真理と思い込みとの区別において、人間はけっして真理をそのままでは持つことができないという洞察は、パルメニデスをはじめとする多くの哲学者に共有されてきました。真理の知に与れないという有限性において、それと関わるもっとも徹底したあり方を示したのが、ソクラテスの「不知の自覚」です。善や正義や美について「知らない」と徹底して自覚することが、それ自体として人間に可能な知への関わりだったのです。プラトンがイデア論を立て、ディアレクティケーで知の可能性を追求するにあたっても、その不知の自覚は基盤であり続けました。そうして神と人間の区別は、超越という「哲学」の核心を準備しました。知者である神と無知なる人間を区別するもの、そして両者をまたぐ共通要素が「言論・言葉（ロゴス）」でした。

ギリシア哲学に始まる西洋哲学の中心的特徴が「ロゴス」に置かれた基盤には、こうした世界観がありました。

†類比の思考

ギリシア哲学に特徴的なもう一つの思考法として、「類比（アナロジー）」が挙げられます。類比はギリシア語で「アナロギアー」つまり「アナ・ロゴン（比率）」です。それは「A:B=C:D」という数比の形で表され、異なる二つの領域を並べて考察することで、共通するものを見て取る思考法です。一見結びつかない別々の事柄を言葉とイメージを駆使して一つの類比に収めることで、そこに新たな共通性とそれを乗り越える異他性が見て取られます。それはまた「比喩（メタフォラ）」という思考法につながります。それは、言葉を通じて言葉を超える思考でした。

私たちに知られたことだけでは、見えない部分、知らない事柄がたくさん残ります。しかし、それを別の事柄と重ねることで、新たな発見がもたらされます。先ほど紹介したピュタゴラスの「人生と競技会の比喩」では、人間の多様な関心が競技会に集まる三種類の人々で類型化され、その優劣が可視化されています。プラトンはそれら三つの欲求を「知性、気概、欲望」という魂の三部分に転換しました。

類比は同等のもの同士だけでなく、本来は異質なものをまたぎ、それを超えることで新たな知見をもたらします。それは「見えるもの／見えないもの」の間に関係をつけることであり、私たちの思考を経験の感覚世界から可知的な領域へと超越させるものです。その最大の場面は、プラトン『ポリテイア』第六〜七巻で「善のイデア」を説明する「太陽、線分、洞窟」の三つの比喩でしょう。

私たちが生きているこの世界でもっとも重要な「太陽」は、「善のイデア」を次のように示します。目でものを見るということは、目が持つ視覚と見える事物の他に、その間で見ることを成立させる「光」が必要であり、その源が太陽です。光がない状態では目は何も見えず、事物も闇のなかでは見られないからです。目に見えない対象を知るということは、それと類比的に、魂の持つ知性がイデアという実在を見ることであり、そこで「善のイデア」が真理を輝き出させます。こうして、「視覚：感覚物：光：太陽＝知性：イデア：真理：善のイデア」という類比が事柄を明るみに出します。また、この比喩にはおまけが付いています。太陽が目に見える世界の事物を育み生成させるように、善のイデアは全てを存在たらしめるという「太陽：生成＝善のイデア：存在」の類比です。ここから、善のイデアそのものは「存在の彼方」にあり、存在ではない、という帰結がもたらされます。

さらに「洞窟の比喩」では、私たち人間の知的状況が、洞窟の奥深くで一生を送る人々に喩えられます。生まれてから洞窟の壁面に映る影像だけを見て過ごし、それらが本当にある現実だと信じてきた人々は、ある時、それを映し出す洞窟内の灯火と動かされる人形像に目を向けて驚愕します。さらに洞窟からその外へと連れ出された人は、外界に広がる色彩溢れた本当の事物と、それを照らす太陽を見ることになります。そうして再び洞窟の内部へと戻った人間は、そこでの影像を識別しながら、より正しい政治を行う哲人統治者となるのです。

この世界が唯一の現実だと思い込んでいる私たちは、それが「像」に過ぎず、それを成立させている「実物」が別にある、ということに思いを致すには、類比の思考が必要です。それは、単に実在のあり方を示すだけでなく、私たちの認識と生き方を根本から変容させる力を有しています。こうして、ギリシア哲学では類比や比喩が哲学そのものを動かす言葉の働きとなったのです。

類比は「モデル」を用いる思考法でもあり、単純な基本要素が結合と分離によって世界の多様なあり方を形作るという見方は、自然多元論の基礎となりました。例えば、原子論で、目に見えない微小の原子（アトモン）は形と大きさと重さは持つが、色も匂いも持ちません。しかし、それらが組み合わされることで事物や宇宙が形づくられ、変遷や生成消滅をくり返すと考えました。デモクリトスらは多様な構成要素である原子を、アルファベットの文字に喩えました。文字の組み合わせで単語や文章が生成する言葉（ロゴス）の構造は、まさにこの宇宙のあり方を示すモデルとなったのです。

✝宇宙と人間の類比

また、古代ギリシアの世界観には、「宇宙／人間社会／個人の魂」を類比的に捉える重層的な発想もありました。万物にあたる「宇宙」は、全体として一つの秩序（コスモス）をなすものであり、構成要素の比率や均衡や調和がその秩序の中身となります。それは、天体の運行や季節や気候の変化を説明する枠組みとなりました。それを「マクロコスモス」とすると、生き物とその生命原理である魂は「ミクロコスモス」として、同様の秩序において捉えられることになります。生物の肉体は構成要素のバランスで健康を維持しており、魂においては知性や欲望の間の秩序、つまり魂の純粋な「形」が追求されるのです。

エンペドクレスによれば、不浄なるものを除去した純粋な魂のあり方が幸福であり、プラトン『ティマイオス』では、魂の知性が天体の円環的運動という宇宙の永久同一のあり方をできるだけ模倣することで、正しい思考と最善のあり方が実現されると語られます。それは、宇宙のあり方に対応する調和としての幸福でした。

さらに、宇宙と魂という両者の中間で、人間が共同で生きる「社会」、つまりポリスが成立します。ポリスは様々な職種や能力の構成員からなりますが、それが部分として役割を果たして秩序と調和をなす政治的徳のあり方が、人間（市民）の幸福を実現します。それも宇宙の秩序を小さなレベルで実現する有機的な全体なのです。これが、ピュタゴラス派からプラトンに受け継がれた政治哲学です。

こうして「宇宙／社会／魂」という類比的な階層構造が、各々の生きる自然のあり方を示し、宇宙の魂は知性を宿す神的なあり方であるという世界観になります。もっともこのような汎自然的で宇宙的な世界観はギリシア哲学に限ったものではなく、中国やインドなど古代文明に共通するもののようです。

古代ギリシアでは目的論を排除して機械論的な因果に徹した原子論者や、神の存在を疑うソフィストや無神論者も現れましたが、宇宙という秩序において幸福を実現する人間という世界観は、ギリシア哲学の基盤として、程度の違いはあれ共有されていました。

†人間のモデルを提示する

こうして古代ギリシアの哲学者たちが思索し、後世に伝えた最も重要なものは「人間とは何か」の理念でした。宇宙の中で存在の根源を問い答えながら、より善く生きていく姿は、「人間」というあり方を自覚的に捉える哲学となりました。その内実には哲学者に応じて大きな違いがありますが、彼らは「人間とは何か」の問いを共通に意識して、それに答えながら、自らも人間としてのあり方を示そうとしたのです。

その「人間」のあり方とは、「知を愛し求める者（フィロソフォス）」という「哲学者」の生き方でした。日常に埋没して日々の実践にだけ関心を向けて生活するのではなく、そこから一旦離れて自己とは何かを観想する態度、そこで宇宙や存在や真理について考えをめぐらし、言論で対抗的に論じていくことが、他の動物とは異なる人間独自のあり方だったのです。ギリシアの哲学者たちは、自らそういった探究を遂行することにより、人間という理念を共有し実現しました。

その中心に浮かび上がったのが「知性（ヌース）」でした。人間が人間である所以は「言論（ロゴス）」による思考能力、とりわけ推論や直観にもとづく体系的な知の探究です。しかし、その「知性」は人間だけが持つものではなく、動物も一部持つと考える哲学者もいました。さらに、神こそが完全な知性であり、宇宙が知性の主体です。それら人間を超えた根拠に遡ることで、本来の「知性」は実現されます。知性による認識が、正しく善い生き方を導くのです。

理性的存在（アリストテレスの言う「ゾーオン・ロゴン・エコン、言葉を持つ動物」）としての人間が、知性を発揮し、世界と自己を認識して生きる観想の生こそが、幸福な生です。その探究が哲学者として生きるあり方です。「知を愛し求める（フィロソフィアー）」という生の形を示したギリシア哲学は、西洋哲学の根源として、また、他の多くの哲学伝統にとって、長くそのモデルとなったのです。その後の歴史の展開において、経験や習慣や感情など、知性では割り切れないさまざまな契機が哲学で焦点になり、知性一元論ではない豊かな哲学が展開されます。にもかかわらず、そうした西洋哲学の基軸には、知性とロゴスという基本がありました。

†中国哲学が提示する「人間」

中島隆博は『中国哲学史』で「人間」を打ち出したのは孔子である、と主張しています。また、孔子が打ち出した「仁（じん）」という理念についてアンヌ・チャンは『中国思想史』で、「孔子の斬新で大いなる概念であって、人間に賭けるという思いが結晶化したものだ」（四七頁）と言います。孔子のなかには「祈り」という超越的な契機が含まれています。そして何よりも、感情的で相互的な人間を打ち出したのは孔子の功績です。「人が人になる」ことを進める異邦性が、孔子という哲学者の特徴でした。

この「仁」あるいは「礼」という理念に込められた哲学が何であるのか、それはギリシアの「人間」とどう異なるのか、それを考えるのが世界哲学の試みの一つです。日本にいる私たちは西洋と中国の両方の伝統を引き受けています。古代ギリシアに由来する知性的存在としての人間、そして仁や礼で成り立つ中国哲学の人間です。それらの可能性を再度起源に遡って検討することが求められています。

3　ギリシア哲学を超える普遍性

†ギリシア哲学との対決

古代ギリシアという基盤に戻ることで、そこからどのように「哲学の普遍性」を求め、「世界哲学」を開くかを考えましょう。

第4章で「普遍性」という理念がきわめてギリシア哲学的であり、古代ギリシアの哲学者たちが議論を共有し展開していた問題背景なしには、単純に理解できないことを考察しました。

アリストテレスが与えた「普遍（カトルー）」の規定は、「一」と「多」の対比からなります。万物のあり方をめぐる「一／多」の関係こそ、ギリシア哲学を通じて論じられた最大の問題でした。多様で変化するこの世界の原理は、一つか、無限か、あるいは有限数か。なぜ多くのものを貫いて、同じ一つのものが存在するのか。それは多数者とは離れて別にあるのか、それとも一がそのまま多になるのか。こういった問題をめぐって、初期ギリシアの自然学者たちからプラトン、アリストテレス、さらにヘレニズム期から新プラトン主義まで、哲学者たちはそれぞれの理論を彫琢しつつ論争を続けていました。「普遍」という理念は、そういった議論を通じて浮かび上がった、ギリシア哲学の焦点だったのです。この点を改めて反省することなく、「普遍性」という理念を自明のように用いることには、大きな問題が残ります。

この理念は、さらに西欧中世の神学を通じて用いられ、近代哲学において「普遍妥当性 Allgemeingültigkeit」を目指すカント哲学に至ります。「普遍」は西洋哲学を貫く基盤でした。では、普遍性を志向する別の途はなかったのでしょうか。

†三つの戦略とその限界

こういったギリシア哲学の背景に対して、私たちが採りうる戦略は三つあります。

第一に、西洋哲学の特殊性を指摘し批判する方途があります。ギリシア哲学に遡ってその思考の特殊性を確認し、それに基づいて発展した西洋哲学・科学全体の思考の制約を指摘することです。現代が直面する種々の問題の原因を、ギリシア以来の哲学・科学の特殊性に求めることで、それから解放されることを目指します。前節で私たちはギリシア哲学の特徴を取り出してその特殊性を見てきましたが、その考察はまさにこれに役立ちます。

第二に、西洋哲学の真の多様性への着目と強調があります。すでに見たように、起源とされるギリシア哲学それ自体の多様性、豊かさを掘り起こすことが大切です。とりわけ、後世に受け継がれなかった諸可能性を取り戻すことで、西洋哲学の中であり得た別の可能性を示すことができます。「哲学」という営為が古代ギリシアで成立した事情は複雑であり、必ずしも単一的で絶対的なものではなかったことは、哲学史を繙けば明らかです。

第三に、他の哲学との共通性と異他性の比較検討があります。ギリシア哲学から展開した西洋哲学を見据えながら、中国やインドなどの他の哲学から共通する部分と異なる部分を抜き出して、そこから西洋を超える総合的な哲学の構築を模索することです。井筒俊彦が『意識と本質』で試みた「東洋哲学の共時的構造化」が、一つの見本となるでしょう。

これらの戦略は、これまでもある程度は試みられてきましたが、それぞれを単独に追求すると、かえって問題を引き起こすことが分かっています。

第一の途については、西洋批判の帰結として、「反西洋」つまり、反科学や神秘主義や単純な自然回帰に至ったり、「東洋哲学」への過度の崇拝、具体的には「無、空、道」などの乱用が生じたりします。また、絶対的思考を否定することで、悪しき相対主義やニヒリズムに陥る危険もあります。

第二の途については、主流に対抗する傍流や異端を掘り起こしても、それらも含めて、結局は西洋哲学の枠内に留まってしまう恐れがあります。真の多様性とは何か、ギリシア哲学が持っていた潜在的な意義を、今一度真剣に検討する必要があります。

第三の途についても、比較思想が抱える方法論的な問題があり、安易な比較や折衷や包摂はかえってまともな哲学的考察を阻害する恐れがあります。つまり、単にAとBが似ているとか、同じだとか異なるとか指摘しても、あるいは両者の間に影響関係があると示しても、それだけでは哲学史のお話に過ぎません。比較することが真に哲学の視野を開くことを目指しつつ、その方法を推し進めるべきでしょう。

私自身は、三つの戦略のそれぞれが不十分さを持つことを意識しつつ、各アプローチを適切に組み合わせることで、「世界哲学の普遍性」を改めて構想することが可能であり、望ましいのではないかと考えています。

†哲学の普遍性を求めて

では、世界哲学を展開するために、今後どのような作業が必要となるのでしょうか。まず「普遍性」という理念を含むギリシアの「フィロソフィアー」の基盤を、成立状況や特殊性や考え方の偏向も含めてさらに検討することで、その限界を明らかにします。この反省作業が、問題の射程を見極める出発点となるはずです。

その上で、「普遍性」をめぐって思考された、他の可能性を探ります。まずは、ギリシア哲学に内在することで、そこに含まれていた多様で豊かな可能性を改めて提示することです。その一つの候補が、ソフィストやレトリックの伝統でしょう。哲学（フィロソフィアー）から厳しく批判され、そこから排除されがちであったこれらの言論と思索の営みが、どのような仕方で哲学そのものの成立に関わってきたか、そういった問題意識です。[*] さらに、その流れから継承されてきた、「人文学（ファニタス）」という系譜も検討の重要課題です。

＊納富信留『ソフィストとは誰か？』（ちくま学芸文庫、二〇一五年）参照。

そして、それらを他の哲学伝統とすり合わせることで、ギリシア哲学や西洋の限定を超える視野を開き、「普遍性」を探っていきます。私たちにとっては、まずは日本、韓国、中国など、東アジアの哲学が射程となるでしょう。この最終段階が「世界哲学」の試みとなるはずです。

ここで重要なのは、自然科学の場合とは違って、多様性と他者性を尊重し、その間で対話を進める態度でしょう。多様な視点をとり、別のパースペクティヴから考える思考、それに向けた訓練と忍耐と勇気、そして想像力と共感力が鍵となります。その末に、哲学の普遍性が、私たちの思索と対話の基盤として浮かび上がってくることが期待されます。それらが相俟って成り立つのが「世界哲学」なのです。

終　章
対話と挑戦としての世界哲学

†対話と哲学

これまで論じてきた「世界哲学」は、哲学としてどのような可能性があり、私たちに何を切り開いてくれるのでしょうか。その鍵は、哲学を世界に開くことによる、主体、つまり私たち自身の変容にあります。それは、哲学の基本である「対話」を行うことと同じです。最後にこの点を考えてみましょう。

「対話 dialogue」は今日の社会でキーワードになっており、政治・経済・学術・教育・社会のあらゆる場面で「対話」の重要性が強調されています。あまり深く考えずにその言葉を持ち出す風潮には疑問がありますが、それを正しく良い方向に導くのが哲学の役割でしょう。

対話と哲学のつながりには、二つの側面があります。一つには、「対話とは何か？」を考察し、その真のあり方を提案するのは哲学の仕事であり、その意義と限界をどのように見るかは、優れて哲学的な考察となります。私は二〇二〇年に刊行した『対話の技法』（笠間書院）で次の定義を提示しました。

「対話とは、二人（あるいは少数）の間で主題をめぐって交わす言論である」。

主題をめぐる言論として、真理の探究が主に念頭に置かれています。

もう一つの側面が「哲学はそもそも対話で成り立つ」という洞察にあります。ソクラテスがアテナイの街中で遂行した対話（ディアロゴス）としての哲学を、プラトンは「対話篇」という書き物で著し、現代の私たちにまで読まれています。しかし、二人、ないしはそれ以上が言葉を交わす「対話」という形は、哲学においてけっして偶然的なやり方ではありません。プラトンは『ソフィスト』など後期対話篇で、「思考とは自分自身との対話である」という考えを提示しています。一人の思考がまずあってそれを他人と交わすというのではなく、自己と他者との対話がまず先にあるのであって、自分一人で考えるというのは対自己対話という変奏に過ぎないのです。

この洞察は、そもそも思考とは何か、言葉とは何か、という問いへと私たちを導きます。言葉は相手に向けて発せられ相手から受け取ることで、そのやりとりを通じて変わっていきます。それが私の思考を形作るのだとしたら、対話なしにまず思考や哲学が存在すると考えることは間違いです。この点を強く意識して見直すと、対話を遂行することで哲学自体が変容すること、あるいは、対話が私たちの思い込みを揺るがし、しばしば私自身を変えることに気づきます。世界哲学は、まさにそんなあり方を目指しています。

哲学的に定義すると、対話とは完全に対等な二者の間でのみ成立する相互の言葉のやりとりです。世界哲学においては、西洋哲学という一強にどう対抗して対等な他者性を確保するかが極めて重要になります。植民地主義や英語一元支配など、多くの不平等や無視が広まっていた哲学の世界で、異なる主体が参画し、しかも完全に対等に言論を交わすことが必須だからです。そこに世界哲学の可能性がかかっています。

対等に対話を交わすという場合、それは第1章で議論した「主体」に関わります。つまり、哲学を遂行し論じる主体として、どこの出身であれ、どんな文化背景があっても、どの特性を持つ人であれ、老若男女がまったく対等に哲学に参加できます。南アフリカの哲学者も、ブラジルの哲学者も、韓国の哲学者も、イラクの哲学者も、日本で哲学を行う私たちと一緒に対話するのです。

その時、必然的に、対話に参加する者が背景とする哲学伝統、つまり「対象」も対等なものとして現れます。歴史的には哲学の主流になった学説も、まったく注目されずに看過されてきた伝統もあるかもしれません。あるいは、今生まれつつある新たな伝統もあるでしょう。しかし、主体のそれぞれが異なる伝統を背負って対等に対話に参加する以上、その人たちの背景をなす思想も対等に哲学が目を向けるべき対象となるのです。
これが世界哲学という対話の精神です。

†対話のぶつかり合い

しかし、対話はきれいごとではありません。とことん言葉でぶつかり合うことで、時に思いがけず他人を傷つけることもあるでしょう。「ぶつかる」という以上、それは全身を張って行う挑戦であり、他者の身体を受けとめた部位は痛んだり傷ついたりするものです。また、相手を揺るがすことで、自分も揺らぎます。それは不安であり、反発であり、時に憎悪さえ引き起こすものです。しかしそれは、甘い言葉で丸め込んだり、対話のフリをして相手を支配したりするといった状況とは真反対にあります。

対話としての世界哲学には、具体的にはどんなことが起こるのでしょうか。「哲学」そのものと呼ばれてきた西洋哲学では、世界哲学なるものを認めることが自己否定につながると考える人もいるかもしれません。それが本当に自分たちを脅かすような存在だと気づいたら、おそらく強烈に反発し、つぶしにかかることもあるでしょう。自分のやってきたことだけが哲学だ、という自負とアイデンティティは、他人による侵略や挑戦を容易には受け入れられないはずだからです。

他方で、挑戦する側、つまり、日本や中国やアフリカの人々にとってはどうでしょうか。これまで排除され、無視されてきたことを改めて意識するのは、プライドが傷つけられ、苦しいことであり、できることなら目を背けたいと感じることもあるでしょう。

日本には独自の思想や文化があり、それを列島の中だけで日本語で守っていきたい、そんな穏やかな防御意識は、「哲学」などという外来の枠組みではなく、日本思想、日本の伝統文化の独自性だけを語っていれば良いという考えにつながります。日本に固有のすばらしい考え方や感じ方、深い思想があって、それは哲学という外来者によって評価されたり批判されたりするべきものではない、そんな風に感じている人も少なくないのかもしれません。しかし、それは対話を拒否する内向きな姿勢であり、他者と向き合って自己を試す挑戦から身を逸らしている態度に見えます。同じ「哲学」という土俵の上で、対等にぶつかり合うことで対話し、さまざまな相手から学び自己を鍛えていくことが必要ではないでしょうか。

一言で言って、世界哲学をするとは、そうした他者との出会いであり対話であり、理想への挑戦なのです。

第1章で紹介した末木文美士による『世界哲学史』への書評は、なぜ「哲学」という概念にこだわるのかについて、ディレンマがあると指摘しています。すべてを哲学に含めるとしたら、それは入れられる側からするとありがた迷惑であり、いわば「哲学の帝国主義」である。しかし、そうして哲学に加えられないと、哲学が白旗をあげることになる、つまり、哲学が崩壊する、そんなディレンマです（二一四～二一五頁）。では、世界哲学とは、そのディレンマを伴う「哲学の強制、暴力」なのでしょうか。

私もこれまでも何度か、末木が指摘するような強い反応、抵抗に出会ってきました。一方では「哲学」と呼ばれる学問分野の中で、それぞれ専門領域を持って研究に当たっている人たちから、他方では、いわゆる哲学ではない他分野からの反発です。私は、哲学はすべてを対象にし、すべての営みを含む、と考えていますが、そういう主張は、個別の領域を学問対象とする人たちから見ると傲慢な主張であり、領域侵犯に見えるようです。

二種の反発のうち前者は、個別に特化して完結している哲学という学問の領域で、あえて「世界」などに視野を広げることへの警戒感です。例えばアリストテレス研究、カント研究、フッサール研究、ドゥルーズ研究といった共同体の内部で成立している言論空間からは、「世界哲学」を唱える越境者に対して自己防衛のような反応が起こることは容易に理解できます。具体的に言えば、専門テーマで論文を執筆して発表している若手研究者にとって、世界哲学のような壮大なプロジェクトは無駄であり邪魔であり、さらに言えば、できないことへの挑戦を強いる不当な外圧に見えるようです。

後者の反発については、これこれの主題は神学や宗教学の領域の問題であり、それを世界哲学が議論することは領域侵犯だとか、日本の思想には「哲学」では尽くされない独自の領域があり、それも哲学だとされるのは迷惑だ、といった声が聞かれます。確かに個別の専門領域は尊重されるべきであり、異なるものを強引に一まとめにして論じることも避けなければなりません。しかし、世界が直面している問題、それに対して世界哲学を進めようという試みは、現代危急の課題だと感じています。多くの垣根を取り払ってあらゆる角度から同じこの世界を見ていかなければならないと信じます。その挑戦を「世界哲学」と呼ぶとしたら、そのためには従来は分かれていたさまざまな学問分野が境界を越えて一緒に論じる必要があるはずです。

対話は自主的で主体的な営みですから、強制されて参加することは望ましくありません。世界哲学のプロジェクトも、あくまでその意義を認識して加わる人の間で行われるべきものです。対話に加わらない意思を持つ人をあえて巻き込むことは本意ではありません。自分の領域に留まる人はそっとしておくのが良いのかもしれません。しかし、そんな人もこの同じ世界に今、共に生きています。向き合う問題が共通しているとしたら、それについて一緒に対話することも必要でしょう。世界哲学という対話がけっして他者への押し付けや言論の暴力にならないように注意を払いつつ、何が必要でどう議論すべきかを慎重に考えていきたいと思います。

すべてを世界哲学に統合したり還元したりするのではなく、個々の伝統の良さを尊重するのが世界哲学です。多元的な対話はまさに世界哲学の理念なのです。

†反哲学からの哲学

結局のところ、私たちは再び「哲学とは何か」を問わざるを得なくなりました。哲学がはたしてどう成立するのか、あるいは、そもそも哲学は為すべきものなのか、という問いです。最後に二つの歴史的な例を使って、この問いについて考えてみましょう。

私が研究の主題としている古代ギリシアのソフィストは、いわゆる哲学者たちの言論を批判し、パロディーと言うべき言論で揶揄していました。シチリア出身の弁論家ゴルギアス（前四八五頃～前三八〇頃）は『ないについて』という著作で、パルメニデスやメリッソス（前四八四頃～？）らの「ある」をめぐる議論をひっくり返し、「なにもない。もしあるとしても、知ることはできない。もし知ることができても、他人に伝えることはできない」という三段階の議論で常識を退けました。しかし、彼が標的にしたパルメニデスらエレア派こそ、私たちの常識をひっくり返す「パラドクス（反常識）」を提起した哲学者たちでした。
そこで見て取られる哲学と反哲学の関係は、真面目な真理探究とそれを相対化する言論との対です。私はそのような反哲学からの哲学批判が、哲学そのものの存立を問うことでその可能性を示す、哲学の必須条件だと考えています。
もう一つの例は、一六世紀のフランスで著述活動したミシェル・ド・モンテーニュ（一五三三〜一五九二）です。幼い頃からラテン語などの人文学教養を積み、ボルドー市長など政治に駆り出されて活動したモンテーニュは、『エセー』（一五八〇年、一五八八年に刊行）という随想を長年綴っていくなかで、学問としての哲学に疑問を抱き、それを超える思索を試みます。*

*この視点から『エセー』を読み解く試みとして、大西克智『『エセー』読解入門――モンテーニュと西洋の精神史』（講談社学術文庫、二〇二二年）参照。

「哲学」が硬直した学問知識に過ぎず、それは実人生や実社会ではほとんど役に立たないという彼の批判は、哲学ではなく「思想（パンセ）」を重んじるフランスでの伝統となります。モンテーニュの影響を強く受けたパスカル（一六二三〜一六六二）の『パンセ』は言うまでもなく、啓蒙主義の哲学に反発したジャン＝ジャック・ルソー（一七一二〜一七七八）や二〇世紀フランスのポストモダン思想家たちまで、その傾向は強く見られます。一見遠いようですが、ニーチェの反哲学の態度も、モンテーニュの思索につながっているように感じます。

それでも世界哲学をすることに、どんな意味があるのでしょうか、私はなぜ、それでも世界哲学をすすめるのでしょうか。それはひとえに、哲学そのものが必要だから、本当に哲学をすることが大切だと考えているからです。そして、対話としての世界哲学には、反哲学も含めて一緒に探究し議論してくれる相手が必要です。皆さんがそういう仲間となって、一緒に世界で哲学していくことを、切に望んでいます。

あとがき

ちくま新書から『世界哲学史』全八巻の刊行を始めた二〇二〇年一月は、皆さんもご存知のように新型コロナ感染症が中国から全世界に広まり始めた時期で、医療態勢が逼迫し社会が大混乱する中で、行動制限が敷かれていました。私はウイルスの流行に怯え、世界規模でほぼ同時に起こっているこの人類の危機を毎日ニュースで見ながら、「世界哲学史」という企画に集まる原稿を読み、チェックして校正していました。それは、象徴的な出来事でした。

人間は経済効率と発展だけを目指しても、自然の力につねに脅かされ、自然を破壊する行為が地球レベルでの環境破壊などを引き起こしています。それを身をもって実感したはずだったコロナ危機でしたが、少し落ち着いてくると、また以前と同じように野放しの発展が謳われるようになっています。

私がこの間いちばん強く感じていたのは、こうして社会や地球や人類の危機を目の前にしながら、哲学がひたすらに非力であることでした。哲学が現状に特効薬を与えるものでないことは、古代ギリシア哲学を研究している者として重々承知しています。しかし残念ながら、大学や学界では教師も学生も多様で深刻な世界の問題には向き合わず、学術の枠内でゲームのように研究を続けているように見受けられます。そのあまりの無感覚さは、古代ギリシアで政治や社会に対決した哲学者たち、私が日々接しているソクラテスやプラトンやアリストテレス、さらにシノペのディオゲネスやエピクロスやマルクス・アウレリウスらとは似ても似つかぬものに見えました。かくいう私もそういった大学の一員であり、反省を通り越して虚無感すら覚えます。そんな「哲学」が本来持っていた活力と刺激を少しでも取り戻し、人類が総出で知性を働かせて現実に挑む対話を始めること、それが私が「世界哲学」に賭けている理由です。

本書で論じたことは、私個人では到底カバーできない広範囲にわたる巨大な計画のごく一部です。中途半端な知見をこうして提示させてもらうことは、専門研究者として恥ずかしさも伴いますが、それ以上に自分の責務として声を発していく必要性を感じています。「世界哲学」というプログラムに参加していただくのも、きちんと批判していただくのも結構です。ただ、よくあるように、あたかもそれが存在しなかったように無視して素通りすることだけはないようにと願います。

世界哲学を進めることは、おそらくとても楽しいことのはずです。そこでは哲学をする醍醐味すら感じられるのではないでしょうか。皆さんがこれを機会に、そんな哲学に思いを寄せてくださることを切に願っています。

本書は基本的に書き下ろしですが、以下の章は次の論文・学会発表を元にしています。

第4章1～2節「哲学の普遍性」、東京大学大学院人文社会系研究科・文学部哲学研究室『論集』三七、二〇一九年。

第6章「世界哲学における分析哲学」、『分析哲学を問い直す』哲学会編「哲学雑誌」一四六巻八〇九号、二〇二二年。

第7章「世界哲学における東アジアの哲学」、第七回日中哲学フォーラム、基調講演、東北大学川内キャンパス、二〇二三年九月一二日。

第8章「ギリシア哲学とインド哲学の対決――『ミリンダ王の問い』に見る世界哲学――」、比較思想学会50周年記念大会、シンポジウム「世界哲学と比較哲学」、大正大学巣鴨キャンパス、二〇二三年七月一日。

第9章2節「ギリシア哲学の特徴」、『西洋哲学の根源』放送大学教育振興会、二〇二二年。

ちくま新書『世界哲学史』シリーズの担当編集者として大変お世話になった松田健氏に、今回もすっかりお世話になりました。同シリーズが今後も読み継がれ、刺激を与えていくことを願いつつ、改めて御礼申し上げます。

二〇二三年一〇月二〇日

納富信留

ちくま新書

944 分析哲学講義 青山拓央

現代哲学の全領域に浸透した「分析哲学」。言語のはたらきの分析を通じて世界の仕組みを解き明かすその手法は切れ味抜群だ。哲学史上の優れた議論を素材に説く！

1060 哲学入門 戸田山和久

言葉の意味とは何か。私たちは自由意志をもつのか。人生に意味はあるか……こうした哲学の中心問題を科学が明らかにした世界像の中で考え抜く、常識破りの入門書。

1634 悪い言語哲学入門 和泉悠

「あんたバカぁ？」「だって女／男の子だもん」。私たちが何気なく使う言葉のどこに問題があるのか？　その善悪の根拠を問い、言葉の公共性を取り戻す。

1749 現代フランス哲学 渡名喜庸哲

構造主義から政治、宗教、ジェンダー、科学技術、エコロジーまで。フーコー、ドゥルーズ、デリダに続く、変容する時代を鋭くとらえる強靭な思想の流れを一望する。

1751 問いを問う——哲学入門講義 入不二基義

哲学とは、問いの意味そのものを問いなおし、自ら視点の転換をくり返す思考の技法だ。四つの根本的問題を素材に、自分の頭で深く、粘り強く考えるやり方を示す。

1753 道徳的に考えるとはどういうことか 大谷弘

「正しさ」はいかにして導かれるか。非主流派倫理学の立場からプラトン、ウィトゲンシュタイン、槇原敬之らの実践を検討し、道徳的思考の内奥に迫る哲学的探究。

1757 実践！　クリティカル・シンキング 丹治信春

「論理的な思考力」は、推論の型を「構造図」としてとらえる訓練を積むことで身につけられる能力である。新しく、実用的なクリティカル・シンキング入門。

ちくま新書

1460
世界哲学史1
――古代Ⅰ　知恵から愛知へ
［責任編集］伊藤邦武／山内志朗／中島隆博／納富信留

人類は文明の始まりに世界と魂をどう考えたのか。古代オリエント、旧約聖書世界、ギリシアから、中国、インドまで、世界哲学が立ち現れた場に多角的に迫る。

1461
世界哲学史2
――古代Ⅱ　世界哲学の成立と展開
［責任編集］伊藤邦武／山内志朗／中島隆博／納富信留

キリスト教、仏教、儒教、ゾロアスター教、マニ教などの宗教的思考について哲学史の観点から領域横断的に検討。「善悪と超越」をテーマに、宗教的思索の起源に迫る。

1462
世界哲学史3
――中世Ⅰ　超越と普遍に向けて
［責任編集］伊藤邦武／山内志朗／中島隆博／納富信留

七世紀から一二世紀まで、ヨーロッパ、ビザンツ、イスラーム世界、中国やインド、そして日本の多様な形而上学の発展を、相互の豊かな関わりのなかで論じていく。

1463
世界哲学史4
――中世Ⅱ　個人の覚醒
［責任編集］伊藤邦武／山内志朗／中島隆博／納富信留

モンゴル帝国がユーラシアを征服し世界が一体化へと向かう中、世界哲学はいかに展開したか。天や神など超越者に還元されない「個人の覚醒」に注目し考察する。

1464
世界哲学史5
――中世Ⅲ　バロックの哲学
［責任編集］伊藤邦武／山内志朗／中島隆博／納富信留

近代西洋思想は、いかにイスラームの影響を受けたスコラ哲学によって準備され、世界へと伝播したか。中国・朝鮮・日本までを視野に入れて多面的に論じていく。

1465
世界哲学史6
――近代Ⅰ　啓蒙と人間感情論
［責任編集］伊藤邦武／山内志朗／中島隆博／納富信留

啓蒙運動が人間性の復活という目標をもっていたことを、東西の思想の具体例とその交流の歴史から浮き彫りにしつつ、一八世紀の東西の感情論へのまなざしを探る。

1466
世界哲学史7
――近代Ⅱ　自由と歴史的発展
［責任編集］伊藤邦武／山内志朗／中島隆博／納富信留

旧制度からの解放を求めた一九世紀の「自由の哲学」とは何か。欧米やインド、日本などでの知的営為を俯瞰し、自由の意味についての哲学的探究を広く渉猟する。

ちくま新書
1769

世界哲学のすすめ

二〇二四年一月一〇日　第一刷発行

著　　者　納富信留（のうとみ・のぶる）
発 行 者　喜入冬子
発 行 所　株式会社　筑摩書房
東京都台東区蔵前二－五－三　郵便番号一一一－八七五五
電話番号〇三－五六八七－二六〇一（代表）
装 幀 者　間村俊一
印刷・製本　三松堂印刷　株式会社

ISBN978-4-480-07604-5 C0210

人名索引

あ行

アイスキュロス　307
朝倉友海　288
アジタ　245
アショーカ王　244
アナクサゴラス　312
アナクサルコス　253, 258
アナクシマンドロス　72, 104, 244, 297
アナンタカーヤ（アンティオコス）　272, 273, 276
阿部賢一　89
有賀長雄　133
アリストクセノス　250
アリストテレス　19, 59, 72, 94, 134-136, 138-140, 142, 146, 168, 169, 180-183, 201-207, 244, 248, 250, 252, 253, 294, 295, 301-303, 313, 321, 323, 334, 340
アリストファネス　307
アレクサンドロス三世（大王）　251-258, 260, 261, 264, 268, 270, 271, 285
アンスコム，エリザベス　181, 198, 206
アンティゴノス　258
飯田隆　98, 178, 196-198, 208
イェーガー，ヴェルナー　201
イエス・キリスト　56-59, 67, 105, 106, 115, 116, 172, 247
井川義次　216
石黒ひで　198
一条兼良　111
一ノ瀬正樹　178
井筒俊彦　114, 115, 217-220, 295, 325
出隆　200
伊藤邦武　31
伊東貴之　226
井上忠　183, 199-202, 204-207
井上哲次郎　124, 133
今道友信　200
岩崎武雄　199
ヴァルダマーナ→ニガンダ・ナータプッタ
ヴァン＝ノーデーン，ブライアン・W　27
ウィトゲンシュタイン，ルードヴィヒ　178, 203
宇井伯寿　283
ウィリアムズ，バーナード　181
ヴォルフ，クリスティアン　216, 237
内村鑑三　241
ヴラストス，グレゴリー　182, 186, 200
エウクレイデス→ユークリッド
エウリピデス　307
エピクテトス　105
エピクロス　104, 105, 268, 312,

340
エヤー, A・J　191
エラスムス, デジデリウス　107
エリアーデ, ミルチャ　218
エンペドクレス　244, 312, 314, 319
王陽明　230
オーエン, G・E・L　180, 182, 200, 201, 206
オースティン, ジョン　181
大西克智　337
大森荘蔵　196-199, 201, 207
岡倉天心(覚三)　241, 286, 287
岡田芳朗　065
荻生徂徠　111
オネシクリトス　253, 256, 258-260, 269

か行

ガーフィールド, ジェイ・L　27
ガスリー, W・K・C　187
カスリス, トーマス　236
加藤信朗　200
金澤修　244
金森西俊　282
ガブリエル, マルクス　52
カラノス　256-258
カリステネス　252-254, 285
ガリレイ, ガリレオ　146
カルネアデス　104, 269
ガルベ, リヒャルト　262, 263, 266
ガレノス　105
河合一樹　226
カント, イマヌエル　16, 19, 24, 40, 146, 169, 177, 184, 185, 199, 206, 324, 334
韓非　229
ギーチ, ピーター　186
キケロ, マルクス・トゥッリウス　104, 105, 134
金文京　111
空海　66, 235, 236, 238
クーン, トーマス　143, 148
クセノクラテス　304
クセノファネス　161
クリプキ, ソウル　186
グレゴリウス一三世　66
クロイソス　271
黒田亘　198, 199, 201-207
クワイン, W・V・O　178, 196-198
桂庵玄樹　111
ゲティア, エドムント　186, 191-195
ケプラー, ヨハネス　146
源信　60
高坂史朗　214
孔子　33, 38, 222, 229, 237, 243, 322
河野哲也　165, 167
ゴーサーラ　245
ゴータマ・シッダールタ→ブッダ
小村優太　89
ゴルギアス　336
コルバン, アンリ　218

さ行

サール,ジョン　188
サイード,エドワード　216
最澄　235
齋藤直子　89, 101
斎藤忍随　200
斎藤慶典　218
サム,ジブリル　159
サルトル,ジャン=ポール　40
沢田允茂　196, 199
サンジャヤ　245
シールズ,クリストファー　182
シェーラー,マックス　199
下村寅太郎　213-215
釈迦牟尼→ブッダ
朱熹（朱子）　230
ジュリアン,フランソワ　148
荀子　229
聖徳太子　235-237
末木文美士　32, 334
スカリゲル,ヨセフス・ユーストゥス　82
スキナー,クエンティン　46
スキュラクス　248, 249
ストーンマン,リチャード　263, 266
ストラボン　256, 257, 259
スピノザ,バールーフ・デ　19, 40, 97
スフラワルディー,シハーブッディーン・ヤフヤー　218
セクストス・エンペイリコス　105, 279
世親　267
世宗（朝鮮）　223
ゼノン（エレアの）　310
セラーズ,ウィルフリド　186
荘子　229
ソクラテス　38, 42, 57, 58, 125, 137, 182, 192, 193, 201, 244, 249-251, 259, 260, 268, 270, 278, 307, 311, 313, 315, 330, 340
ソフォクレス　307
ソロン　22, 271

た行

ターン,W・W　262, 266
戴震　230
高楠順次郎　282, 283
田中美知太郎　200
田辺元　217
タフコ,トゥオマス・E　183
ダレイオス一世　248, 251
ダレイオス三世　251
タレス　22, 244, 300, 301, 308
チザム,ロデリック　191
チャン,アンヌ　213, 228, 233, 234, 322
デイヴィドソン,ドナルド　181, 198
ディオゲネス（シノペの）　252, 253, 259, 260, 269, 340
ディオニュシウス・エクシグウス　57
デービス,ブレット　27, 214, 236-238
デカルト,ルネ　16, 19, 97, 146, 188

デモクリトス　146, 253, 318
デリダ, ジャック　40, 298
土井晩翠　113
道元　97, 236, 238
ドゥルーズ, ジル　40, 41, 334
ドゥ・ロード, アレクサンドル　224
外川昌彦　287
ドミエヴィル, ポール　283
トレンクナー, ヴィルヘルム　265, 282

な行

ナーガセーナ　261, 263, 264, 267-270, 272-275, 278, 279, 288
中江兆民　29, 130
中島隆博　31, 148, 213, 216, 234, 322
中村元　44, 264, 265, 272, 274, 275, 280, 282, 283, 287
中村秀吉　196, 202, 206
南條文雄　283
ニーチェ, フリードリッヒ　40, 153, 338
ニガンタ・ナータプッタ（ヴァルダマーナ）　245
西周　123, 124, 130, 238, 305
西田幾多郎　29, 213, 214, 217, 235, 241, 288
新渡戸稲造　241
ネーゲル, トーマス　188
野矢茂樹　197

は行

バーニェット, マイルズ　180, 194
バーンズ, ジョナサン　182
ハイデガー, マルティン　51, 185, 187
パイドン　251
パウロ　105
パクダ　245
バジーニ, ジュリアン　189
パスカル, ブレーズ　337
パットナム, ヒラリー　188
バナール, マーティン　238, 246
馬場紀寿　107-109
早島鏡正　272, 274, 282
パルメニデス　135, 146, 186, 189, 244, 309, 310, 315, 336, 337
檜垣立哉　212
干潟龍祥　281
ヒッピアス　58
ヒッポリュトス（ローマの）　58
ヒューム, デイヴィッド　40, 169
ピュタゴラス　145, 244, 250, 259, 260, 269, 301, 312, 314, 316, 319
ピュロン　253, 257, 258, 269, 279
ファーラービー　120
フィリッポス二世　251
フーコー, ミシェル　40, 296
プーラナ　245

フェノロサ,アーネスト　286
福沢諭吉　124
藤沢令夫　183
藤田正勝　214, 221, 236, 237
藤原頼通　60
フッサール,エドムント　184, 206, 334
ブッダ（ゴータマ・シッダールタ,釈迦牟尼）　33, 38, 59, 107, 108, 245, 247, 261
フット,フィリッパ　188
プトレマイオス　72
プトレマイオス二世　271
プラトン　19, 42, 59, 62, 72, 85, 90, 92, 93, 120, 124, 125, 134, 135, 138, 145, 146, 158, 159, 180-182, 186, 188, 189, 192-195, 200, 201, 205, 207, 244, 262, 264, 269, 270, 278, 279, 294, 298, 300, 302, 312-316, 319, 323, 330, 340
プルタルコス（プルターク）　105, 252, 254, 258, 260
フレーゲ,フリードリヒ・ルートヴィヒ・ゴットロープ　177, 185
プロタゴラス　278, 314
プロティノス　302, 303, 314
ヘーゲル,ゲオルク・ヴィルヘルム・フリードリヒ　41, 47, 169, 184, 185, 214, 215, 238, 293, 313
ベーコン,フランシス　40, 97
ヘシオドス　22, 103, 245, 297
ヘラクレイトス　62, 244, 278, 298, 313
ベルクソン,アンリ　40
ヘロドトス　248, 249, 271
卞崇道　214
ホイジンガ,ヨハン　305
ホッブズ,トマス　97
ホメロス　103, 113, 245, 297, 306
ポルフュリオス　138
ボルヘス,ホルヘ・ルイス　78
ホワイト,モートン　196, 197, 201

ま行

マイアー,ハンス　57, 64
前田慧雲　281
マクダウェル,ジョン　181
マラルド,ジョン　236
マルクス・アウレリウス　105, 340
マルコム,ノーマン　192
マンダニス　258-260
水野弘元　265, 280, 283
宮元啓一　274, 282
ミュラー,フリードリヒ・マックス　282, 283
ミリンダ王（メナンドロス一世）　260, 261, 263-272, 274, 275, 277, 278, 280-284, 287, 288, 341
ムーア,G・E　177
ムハンマド　62
ムロズ,トマス　93
メリッソス　336
メルカトル,ゲラルドゥス　77
メルロ＝ポンティ,モーリス

40
孟子　229
本居宣長　97, 236, 238
護山真也　89
モンテーニュ, ミシェル・ド　337, 338

や行

ヤスパース, カール　33, 245
山内志朗　31, 134
山内廣隆　124
山上曹源　281, 282
山村奨　226
山本信　199, 202
ユークリッド（エウクレイデス）　146
ユリウス・アフリカヌス　58
吉田夏彦　196, 197, 199

ら行

ラーダークリシュナン, サルヴパッリー　247
ライプニッツ, ゴットフリート・ヴィルヘルム　216, 225, 237
ライル, ギルバート　181
ラッセル, バートランド　177, 192
ラモーセ, モゴベ　161, 166-168, 170-172, 174, 176
李退渓　230
廖欽彬　226
林永強　221
ルートラフスキー, W　93
ルクレティウス, ティトゥス・カルス　105
ルソー, ジャン＝ジャック　338
レヴィナス, エマニュエル　40
ロイド, ジェフリー　144
老子　229
ローティ, リチャード　178
ロールズ, ジョン　188
ロック, ジョン　97, 108, 169

わ行

和辻哲郎　120, 236, 265, 280, 283-287, 295